Achtung Staatsgrenze

Beppo Beyerl

Achtung Staatsgrenze

Auf den Spuren des Eisernen Vorhanges

Löcker

Gedruckt mit freundlicher Unterstützung der MA7 – Kultur, Abteilung für Literatur.

Umschlaggestaltung: Linus Bergsmann, unter Verwendung einer Fotografie von Beppo Beyerl

Herstellung: General Druckerei, Szeged
ISBN 978-3-85409-

Inhalt

Vorwort

Die im Buch beschriebenen Wanderungen führte ich zwischen dem April 2008 und dem Juli 2009 durch. Ich absolvierte sie in mehreren kleinen Etappen, die grosso modo den einzelnen Kapiteln im Buch entsprechen. Allerdings wanderte ich nicht chronologisch: So erfolgte meine slowenische Grenztour bereits im April 2009, während ich erst Ende Juni 2009 mit meinem Fahrrad die ungarische Grenze in Angriff nahm – und dabei kläglich scheiterte.

Bedanken möchte ich mich bei all jenen in- und ausländischen Personen, die mich sowohl bei der Vorbereitung als auch bei der Ausführung meines Vorhabens tatkräftig unterstützt haben – sei es durch ausführliche Beratung, sei es durch detaillierte Fachgespräche. Ohne ihre Hilfe hätte ich das Buch nie schreiben können.

Widmen möchte ich das Buch meinem im Jahr 2000 gestorbenen Vater. Er war im Sommer 1948 – nach der Machtübernahme durch die Kommunistische Partei – von Karlsbad nach Wien geflüchtet, mit den »Karlsbader Möbeln« und dem sogenannten Familiensilber, um hier im Kapitalismus mit Erfolg eine neue Bleibe aufzubauen. Heute würde ihm ein solches Vorhaben bei den derzeit gültigen restriktiven Gesetzen sicher nicht gelingen.

Die Grenzbarrieren sind in den letzten 20 Jahren mehr oder weniger verschwunden. Allerdings werden neue verschärfte Grenzbarrieren von so manchen österreichischen Zeitungen und so manchen österreichischen Politikern gefordert. Steht ein neuer »Eiserner Vorhang« zur Debatte?

Allerdings gibt es ihn schon, die neue verstärkte und todsichere Grenzzone. Nicht mehr an der Außengrenze Österreichs, nein. Vielmehr an der Außengrenze der EU.

Und die Zahl der Toten an dieser EU-Außengrenze übertrifft ein Vielfaches die Zahl der Toten, die bei der Überquerung des alten »Eisernen Vorhanges« scheiterten.

PS. Bei der Schreibweise der Orte, Flüsse und Berge verzichtete ich auf die zwei- oder dreisprachige topographische Bezeichnungen, die den Lesefluß allzu sehr gestört hätten, und ließ mich ausschließlich von meiner liguistischen Lust und Laune leiten. Deshalb heißt die Thaya schlichtwegs Thaya, obwohl sie über weite Strecken in Tschechien fließt, und Mikulov heißt Mikulov, obwohl die Deutschen den lieblichen Weinort als Nikolsburg bezeichnen.

Beppo Beyerl, im Juli 2009

Im rauschenden Böhmerwald

Auf dem Kamm kann man nicht gehen. Wir schreiben den 28. April, und auf dem Grenzkamm zwischen Österreich und Böhmen liegt der Schnee einen Meter hoch. Die Decke hält in den frühlingshaften Temperaturen nicht, und ich sinke bis übers Knie in den patzigen matschigen Schnee hinein.

Vom letzten Ort im Österreichischen – Schwarzenberg am Böhmerwald – war ich über eine granitische Spezialformung namens Teufelsschüssel zur »Dreiländermark« – 1321 Höhenmeter – hinaufgestapft. Im Norden liegt Tschechien, im Südwesten Deutschland, und im Südosten Österreich. Nun läßt diese »Dreiländermark« meine sprachliche Begeisterung in den Keller sinken, da die »Mark«[1] als alte deutsche Bezeichnung für Grenze gilt und ich mir die Grenze nach wie vor als Linie und nicht als Punkt vorstellen kann: Dreiländereck müßte die richtige Bezeichnung sein. Eigentlich wollte ich die zweieinhalb Kilometer vom »Dreiländereck« zum Plöckenstein mitten auf dem Grenzkamm gratwandern, um als Gratwanderer so richtig auf den Geschmack eines Grenzforschers zu stoßen. Zudem hätte ich den Stifter-Obelisk gesichtet, der demonstrativ oberhalb des Plöckensteiner See errichtet wurde. Doch angesichts der winterlichen Schneelage ändere ich meinen Plan und stapfe verdrossen und langatmig zur Hütte auf dem Dreisesselberg, die bereits sicher im Bayrischen verankert ist. Im Tschechschen verankert ist der zweite Name des Berges: Třistoličnik.

Auf der bayrischen Hütte erfahre ich, daß die Grenze – also doch eine Linie – mitten durch den hinteren Schupfen führt. »Früher stand auf dem Weg seitlich des Schupfens ein Schranken«, meinte die Kellnerin. – »Und ist jemand herübergekommen auf ein Bier?« – »Eigentlich nie.« – Kein Wunder, früher war es ja verboten. Jetzt ist es erlaubt, aber es kommt kein Wanderer aus dem Böhmischen. Wieder kein Wunder, infolge der fehlenden Orte im böhmischen Grenzgebiet, infolge des toten Hinterlandes sind die Anmarschwege für tschechische Wanderer nur bei durchtrainiertem Körper zu bewältigen.

Abb 1: Die Dreiländermark
zwischen Österreich, Bayern und Tschechien

Und mir bleibt nichts anderes übrig, als mangels Alternative ins Bayrische hinunterzuwaten, mehrere Adalbert-Stifter-Wege zu queren und mich nach Schwarzenberg durchzuschlagen. Bei der Querung eines Stifter-Weges war auf einer Blechtafel ein unsäglich langes Stifter-Zitat aus dem »Hochwald« eingraviert. Darunter hat Menschenhand verfaßt: »Unser schöne Wald braucht keine Reklame-Schilder!«

Und wenn der Ort schon »Schwarzenberg am Böhmerwald« heißt, dann heißt mein Hotel »Adalbert Stifter«. Im Hotel logieren viele Deutsche, die an einer im Ort stattfindenden QiGong-

Ausbildung teilnehmen. Eigentlich lassen sich nur die jeweiligen Frauen der Paare qigongen, die jeweiligen Männer flanieren in der Gegend herum oder haben sowieso »ihre Arbeit mit ins Zimmer genommen«.

Ich habe keine Ahnung von Qigong, aber ich höre aufmerksam am Wirtshaustisch zu. »Man muß nämlich Hopfenprodukte meiden, weil sonst klappt das nicht mit der Suggestion«, meint der eine. »Und dann hab ich mich daran gewöhnt, jeden Freitag gegen Allergien zu machen«, kontert der andere und winkt nach einem neuen Mineralwasser. Hurtig bestelle ich als einziger im Saale das ausgezeichnetes Schlägler Bier.

Adalbert Stifter tümelt sich düster und langatmig durch den Böhmerwald, und vielleicht haben mir seine tümelnden Naturbeschreibungen die Lust auf den Böhmerwald verdorben. Was helfen mir so absurde Beobachtungen wie»…und daß das Grün der Tannen wieder von den Höhen herabgrüßte, manches Bächlein, das zwischen den Waldklemmen ging, mir rauschend entgegensprang, mancher Birkenbaum von den Bergen leuchtete«…und wenn es bei diesem einmaligen Tannengruß und Bächleinrausch bleiben würde, das könnt ich ja noch verkraften. Aber wo, das streckt sich seitenlang, zehn Seiten, zwanzig Seiten, vierzig Seiten, bis man ermattet das Buch zuklappt und sich fragt: Muß fader Beschreibungsrealismus und inständige Tümelei immer Hand in Hand gehen oder kann das nur der Adalbert Stifter?

Gut. Ich setze Schritt für Schritt auf einem Radweg von Schwarzenberg nach Schöneben, von dort auf einer Straße weiter zur böhmischen Grenze. Freilich, ich darf den Böhmerwald nicht an der verschandelnden Beschreibung durch diesen maßlosen Säufer und Völlerer messen. Aber nach fünfstündigem Marsch komm ich zum Schluß: Die Strecke hier ist schlichtwegs fad, keine Ausblicke, keine Felsen, keine Kontraste, nur der dichte Hochwald als fixe Konstante, der mich einengt und zu erdrücken droht, der mir die Luft zum Atmen wegnimmt und mir die Gurgel zuschnürt, der merkwürdigerweise stumm ist und auch mich zu verstummen droht. Auf tschechisch heißt er Šumova, vom Šum, dem Rauschen, und das hatten wir doch schon, das Bächlein rauschte bei Stifter, normalerweise rauschen die Wipfel des Waldes, aber nur beim Wehen des Windes, und bei Stifter wars er selber, der jeden Tag rauschig war bis zum bitteren Ende.

Endlich in Schöneben und hinüber ins Böhmische. Die Grenzlinie erkennt man nur mehr an Schildern und heraldischen Zeichen, die ehemaligen Zollhäuser sind verlassen und verwaist, und ohne Kontrollen wechsle ich vom Österreichischen ins Böhmische.

Das erste böhmische Dorf heißt Zadní Zvonková. Als das Dorf noch Glöckelberg hieß, konkret im Jahre 1939, bestand es aus 1352 Einwohnern, die sich auf über 200 Häuser verteilten. Im Mai 1945 befreiten die amerikanischen Truppen den Ort. Doch in den Folgejahren verließen die von den tschechoslowakischen Behörden schikanierten deutschen Bewohner das ehemalige Glöckelberg, die Häuser wurden nicht mehr neu besiedelt, im Jahr 1950 wurden sie nach Plan niedergewalzt, weil nach dem Willen der neuen Machthaber so nahe der Grenze keine Häuser stehen durften.

Nach 1989 wurden zwei Gebäude wieder errichtet. Die Kirche von Zadní Zvonková, sowie ein kleines Häuschen mit der Nummer 121, das ehemalige Mesnerhaus. In dem kleinen Häuschen befindet sich das Museum von Johannes Urzidil. »Tamhle jde Urzidil«, steht auf dem Fenster, »da geht der Urzidil«. Aber wohin? Das werde ich nie ergründen können. Das Museum sperrt erst im Juni 2008 auf.[2]

Also da geht der Johannes Urzidil. Hier in der Gegend, aber nicht in diesem Haus, verbrachte er seine Sommertage. Ein deutscher Dichter aus Prag. Verheiratet mit der Tochter eines

Rabbiners. Befreundet mit vielen Tschechen, so mit dem Maler Jan Zrzavý. Flüchtete 1939 vor den Deutschen nach Großbritannien, später in die USA. Die Nachkommen des letzten Besitzers des Mesnerhauses sowie die Urzidil-Gesellschaft haben das Haus restauriert und als Museum eingerichtet.

Und ich trabe weiter in Richtung Horní Planá, hinunter zum Moldau-Stausee. Endlich heraus aus dem finsteren Böhmerwald, die Landschaft lichtet sich, satte grüne Wiesen, auf denen die Kühe weiden. An den Ufern des glucksenden Baches die gelben Dotterblumen und die weißen Buschwindröschen, in den Wiesen gedeiht prächtig der Löwenzahn, zu dem die Tschechen pampeliška sagen, wobei liška der Fuchs ist und nicht der Löwe. Nach einer Stunde Fußmarsch auf der Landstraße habe ich den Stausee erreicht; obzwar die Landstraße aus dem Österreichischen ohne Grenzkontrollen passierbar ist, hat mich während der gesamten Stunde kein Auto überholt. Auch auf die Fähre nach Horní Planá warte ich alleine, niemand nutzt die neue Reisefreiheit. Freilich, die Fähre taucht nur einmal in der Stunde auf, und es gibt keinen Kiosk und keine Hospoda und keine Bar an der Anlegestelle. Man muß sich schlicht und einfach so etwas Unbedarftes wie Zeit nehmen, um von Aigen-Schlägl durch das sogenannte Niemandsland nach Horní Planá zu fahren.

Jahrzehnte war der Grenzstreifen als militärisches Sperrgebiet hermetisch abgeriegelt. Durch diese Abriegelung hat der Streifen einen Zustand bewahrt, der in vergleichbaren Waldlandschaften schon längst zerstört wurde: Durch die dichten Wälder weht etwas Langatmiges und Unabänderliches. Bescheiden und betulich nähern sich die sanften Kuppen der Moldau, sie meiden alles Krasse und gehen allem Widerborstigen aus dem Weg.

Zweiter Versuch zur Annäherung. Adalbert Stifter hat die Strukturen dieser Landschaft in der Epik nachgeformt. Drüben in Oberplan, dem heutigen Horní Planá wurde er 1805 geboren. Oberhalb des Dorfes steht auf dem Gutwasserberg, der heutigen

Dobrá voda, sein Denkmal: wehmütig der Blick, das Buch in der Hand. Wer das Denkmal genau betrachtet, kann sich recht gut vorstellen, warum Stifter als Erfinder des Backenbartes sowie des Umhängebauches bezeichnet wird. Beleidigt öffnet Stifter sein Buch und liest: »Da ruhen die breiten Waldesrücken und steigen lieblich schwarzblau dämmernd ab gegen den Silberblick der Moldau. Es wohnt unsäglich viel Liebes und Wehmütiges in diesem Anblick.« – Unsäglich viel ist gut gesagt: Immerhin brauchte Adalbert Stifter zwei ganz dicke und unzählige dünne Bücher.

Die Rache der Tschechen könnte in den nächsten Jahren folgen. Auf dem Gebiet hinter dem Denkmal plant der Energiekonzern ČEZ, zu dem auch das Kraftwerk in Temelín gehört, die Errichtung einer Atommüllabfallanlage.

Auf der alten Straße, die vor 1947 vom oberösterreichischen Aigen herführte und nun mitten im aufgestauten Wasser verschwindet. Sechzig Meter weiter drüben taucht sie wieder aus dem Wasser auf und nimmt Kurs nach Český Krumlov. Das erste Auto kommt, eine ältere Dame hält den Wagen mit deutschem Kennzeichen. »Kann man hier fahren oder ist das noch verboten?« – »Aber klar, jetzt können Sie hier fahren.« Die ältere Dame erzählt, daß sie aus Untermoldau stamme. – Untermoldau? – Die ältere Dame zeigt mit dem Finger ins Wasser und erzählt von dem Kirchturm, der angeblich noch eine paar Jahre aus dem Wasser geragt hat, bis auch der Kirchturm zermorscht und vom Wasser des Stausees überflutet wurde.

Und über alledem thront auf dem Hügel von Oberplan der Herr mit Backenbart und Umhängebauch und starrt, mit unsäglich viel Wehmut, auf den Silberblick der Moldau.

Horní Planá, nach dem dritten Bier. In den einfallenden Nebelschwaden des Abends steht auf dem Sockel kein Stifter mehr. Ein weibliches Wesen thront oben mit der Zigarette in der einen Hand und einem Buch in der anderen. Ingeborg Bachmann drückt ihre Zigarette aus und beginnt zu lesen:

»Grenzt hier ein Wort an mich, so laß ichs grenzen.
Liegt Böhmen noch am Meer, glaub ich den Meeren wieder.
Und glaub ich noch ans Meer, so hoffe ich auf Land.
Bin ichs, so ist es jeder, der ist soviel wie ich.
Ich will nichts mehr für mich, ich will zugrunde gehen.
Zugrund – das heißt zum Meer, dort find ich Böhmen wieder.«

Über Horní Planá ist bereits viel geschrieben worden. Ich möchte nur zwei Dinge ergänzen. Zum einen sind die Bus- und Bahnverbindungen für Wanderer nicht besonders geeignet. Wer längs der Hauptverkehrsachse nach Višší Brod fahren will, muß früh aufstehen, der Bus fährt um 8:05, nachher fährt praktisch nichts.

Und der Bahnhof der ČD, der Tschechischen Eisenbahnen, sieht so aus, als würden die ČD all ihre Energie darauf richten, daß die Bahnhöfe möglichst unattraktiv ausschauen. Schließlich soll niemand auf den blöden Gedanken kommen, diesen Bahnhof auch zu besuchen. Denn wer weiß was der dort will. Am Ende eine Fahrkarte?

Zur zweiten Ergänzung: Ich entdecke im 2. Stock des Stifter-Geburtshauses die Bücher von Karel Klostermann. Besagter Klostermann – er lebte von 1848 bis 1923 – galt den Tschechen stets als der Dichter des Böhmerwaldes, der Šumova, bei den Deutschen konnte er sich gegen die Übermacht Stifters nie durchsetzen. Noch dazu beging er das Verbrechen, daß er – trotz deutscher Herkunft – die meisten seiner Werke in tschechischer Sprache schrieb. Lakonisch vermerkt dazu Wikipedia: Erst nach der Vertreibung der Deutschen aus dem Böhmerwald wurden Straßen, Gassen und Plätze nach Klostermann genannt.

Im Hauptberuf unterrichtete er übrigens Deutsch und Französisch auf einem Gymnasium in Pilsen. Den Böhmerwald kannte er durch die Besuche bei seinen Eltern, sein Vater ordinierte als Arzt in Srní, das die Deutschen Rehberg nannten. Seine

Texte sind einfach und realistisch, sein klarer Blick ließ einerseits Kritik zu, wenn sie notwendig, aber auch Humor, wenn er möglich war. Beides – Kritik und Humor – wird man bei Stifter selbst bei ausgiebiger Suche kaum finden.

Eine der Erzählungen Klostermanns heißt »Der Jude von S.« Mit S. dürfte wohl Srní gemeint sein, Klostermann kannte ja die Wirkungsstätte seines Vaters recht gut. In diesem Ort taucht auf einmal eine jüdische Familie auf. Bei jeder größeren Katastrophe werden nun die Juden verdächtigt, diese Katastrophe ausgelöst zu haben, und jedes Mal wird entweder der Laden demoliert oder eines der Kinder verprügelt. Als bei einem katastrophalen Unfall zwei Angehörige des »Juden« sterben, verläßt dieser nach der obligatorischen Trauerfrist den Ort S.

Eine weitere Erzählung – »Die Tierschau« – belegt den urwüchsigen Humor Klostermanns. Der Angeber Lejsek behauptet im Wirtshaus, daß er eine Menagerie ins Dorf, ja direkt ins Wirtshaus bringen werde. Alle lachen das Großmaul aus, und zum angekündigten Zeitpunkt der Tierschau erklärt der Lejsek, daß die Viecher alle schon bei Tische sitzen: der Herr Verwalter Prsakavec (Faucher), der edle Herr Vlk (Wolf), der Herr Lehrer Sykora (Meise), der Herr Förster Karasek (Goldfisch), der Gemeindevorsteher Bejček (Jungstier) und so weiter und so fort. Da eilt der Amtsdiener der Bezirkshauptmannschaft ins Wirtshaus und verbietet amtlicherseits die Abhaltung einer Menagerie. Worauf ihn Herr Vlk nach seinem Namen fragt. Kohout, lautet die Antwort, zu Deutsch Hahn. Worauf dem Herrn Kohout nichts anderes übrig bleibt als mit der viechischen Horde mitzutrinken.

Übrigens lebte eine Nichte Klostermanns namens Anna Jelinek in Wien, wo sie etwa um 1970 im hohen Alter verstarb. Angeblich übte sie den Beruf einer Gymnasialdirektorin aus. Über ihren Großvater, den Arzt in Srní, verfaßte sie mit Schreibmaschine eine 254 Seiten lange Biographie, die sich im

Privatbesitz befindet. Und um die deutschen Übersetzungen der Bücher von Karel Klostermann kümmert sich seit ein paar Jahren löblicherweise der Verlag Karl Stutz in Passau.

Ich fahre mit der Fähre wieder nach Süden, wechsle das Land und gehe im Österreichischen auf dem Pfad des Schwarzenberg-Kanals. Über diesen Schwemmkanal ist zur Genüge berichtet worden, die ebenen Wege eignen sich jedoch eher für Radfahrer oder im Winter für Langläufer als für limenologische Weitwanderer.

Abb 2: Die Fähre von Horní Planá über den Moldau-Stausee

Einige Male passiere ich die Grenzlinie und mustere den Grenzstreifen, der heutzutage zugewachsen ist und sich nur schwer eruieren läßt im struppigen Dickicht des Niemands-landes. Im Jahre 1950 wurde ein »Schutzwall gegen den Imperialismus« errichtet. Dazu wurden Soldaten verdonnert, die dem im Grenzort Hřensko wohnenden Jan Tabor eher an Sträflinge oder Gefangene erinnerten. Da es im eigenen Land zu wenige Uniformen gab, trug ein Teil dieser eigenartigen Soldaten ausgediente Naziuniformen.

Und sie rodeten einen fünfzig Meter breiten Streifen längs der tatsächlichen Grenze, und sie zimmerten die Wachtürme, und sie rammten die Pfosten für die Stacheldrähte, und sie spannten die Drähte, und sie bestreuten einen Teil des Grenzstreifens mit feinem Sand, auf dem jede Fußspur, jeder Tritt seine Spuren hinterlassen sollte. Dann war die Grenze betriebsbereit. Die Strafkompagnien verschwanden, es kamen echte Soldaten, mit Maschinenpistolen, mit Geländeautos und mit Schäferhunden. Sie änderten stets ihre Strategie und die zeitliche Reihenfolge ihrer Aktionen, um zu verhindern, daß ehemalige Soldaten selbst über die Grenze flüchten konnten. Und sie erschossen massenweise Rehe und Hirsche, die in der Nacht beim Kommando: Stehenbleiben, oder ich schieße – das Kommando nicht befolgten. Zu Beginn waren die Drähte unter Hochspannung mit 5.000 Volt gesetzt – jede Berührung war tödlich. Da aber oft falsche Alarm ausgelöst wurde – durch Tiere, durch stürzende Bäume, auch irrtümlich durch die eigenen Leute – und durch die vielen Fehlalarmen die Stromkabel beschädigt wurden, änderte man um 1965 die Grenzsicherung: es wurden nur noch Drähte mit wenig Volt an Spannung eingesetzt, die Berührung löste jedoch beim nächsten Grenzposten Hochalarm aus.

Jan Tabor, der 1968 nach Wien flüchtete und seither in der Donaumetropole als Architekturkritiker lebt, erzählt wunderbare Sachen von Limenologen, von Grenzforschern, die schon in den Fünfzigerjahren die Grenze abstapften, in grenznahen Zelten übernachteten, sich am Lagerfeuer Grenzgeschichten erzählten. Den Grenzwächtern gegenüber deklarierten sie sich als Skauts[3], manchmal auch als Ornithologen.

Ich steh noch immer an der Grenze irgendwo im Niemandsland und überlege, wie ich eines Skauts namens Santa Fé gedenken könnte. Besagten Santa Fé hat Jan Tabor in der

Gegend von Podhradí getroffen, einem etwa vier Kilometer von der Grenze entfernten Ort an der Thaya. Und dieser Santa Fé brüstete sich am Lagerfeuer, daß er es locker schaffe, über die Grenze nach Österreich und auch wieder zurück zu kommen. Im allgemeinen Gelächter bleibt dem armen Skaut nichts anderes übrig als die Gegenwette anzunehmen.

Drei Tage später war Santa Fé wieder beim Zelt in Podhradí, Hemd zerfetzt, Hose zerrissen, an mehreren Stellen blutend. Er hat die Wette gewonnen, denn in der Hand hielt er die Tafel mit dem gültigen Fahrplan des Postautobusses von Drosendorf.

Grenztürme, Stachelzäune, Drähte, Hunde, die Relikte des kalten Krieges sind also verschwunden und haben eine für Europa einmalige von Menschenhand nicht gepflegte Natur-Landschaft hinterlassen. Was tun mit diesem urwüchsigen Paradies? Die Tschechen verfolgen eher einen laisser-fair-Ökologismus, die Natur mit ihren Kreisläufen regelt alles von selbst, keine Eingriffe von Menschenhand. Die Österreicher: sanfte Eingriffe sind erlaubt, um die Kreisläufe behutsam zu steuern.

Ich wette übrigens auch etwas, nämlich daß ich schon einmal hier gewesen bin. Genauer im Sommer 1990, als ich mit Heinzi längs des Grenzstreifens des Böhmerwaldes radelte. Damals war der gerodete Grenzstreifen noch nicht zugewachsen, und wir sind mit unseren Mountain-Bikes tatsächlich auf der tschechischen Seite des Grenzverlaufs dahingeradelt. Damals standen noch die Grenztürme, und um die Sichtweise, die Perspektive des Grenzsoldaten auszutesten, bin ich auf einen Grenzturm hinaufgeklettert. Auf der Plattform hab ich eine Zigarette geraucht und nach Österreich geschaut. Gott sei Dank habe ich noch das Foto, das damals Heinzi aufgenommen hat, und so kann ich jederzeit beweisen, daß ich dereinst als Grenzturmkraxler agierte.

Abb 3: Der Autor als Grenzturmkraxler

Anmerkungen

1 Die Grenze ist eines der wenigen Wörter, das die Deutschen aus dem Slawischen entlehnt haben. So heißt es im Russischen granica, im Tschechischen wird daraus die hranice. Das Tschechische hat viele Überlappungen mit dem Österreichischen, genauer mit dem im Großraum Wien gesprochenen Ostösterreichischem. So bejaht der Tscheche umgangssprachlich mit »jau«. Oft hört man das kakanische Österreichisch durch: der Tscheche geht ins kancelař. Wenn er dort etwas ausradiert, dann tut er vygummovat, und wenn er wen trifft, dann hat er ein rande. Inständig wartet er auf die penze, die er hoffentlich nicht in der pavlač oder in der chalupa verbringt.

2 Eine wunderbare Erzählung von Johannes Urzidil handelt in Glöckelberg. Sie heißt »Grenzland« und ist in manchen seiner epischen Bände zu finden. Er beschreibt in dieser Erzählung die Einwohner von Glöckelberg und endet mit dem Selbstmord der Stifter-Otti. Letzter Absatz: »Sie kam nicht am Abend. Der Vater und ich saßen allein. Sie kam nicht zur Nacht. Wir brachen auf und begannen herumzufragen und zu suchen. Wir suchten und fragten Tage lang. Dann einmal gab der See uns Antwort und hob sie empor zwischen das bleiche Wurzelwerk an seinem Rand.«

3 Der Skaut, also der Pfadfinder, ist eine der Leitgestalten der tschechoslowakischen Jugendbewegung. Mit dem eher militärischen amerikanischen scout hat er nicht viel am Hut. Er ist Befehlen gegenüber skeptisch, Organisationen gegenüber mißtrauisch, doch gibt es oft interne Gruppencodes und -rituale.

Im Mühlviertel

Endlich verlasse ich den Böhmerwald und blicke erstaunt und überrascht in den weiten Mühlkreis hinein. Hügel um Hügel, Tal nach Tal, die Wiesen im saftigen Frühlingsgrün, das Auge steigt langsam bis zum Horizont. Ich passiere Hügel um Hügel, Tal nach Tal, stets die erbauende Weite des Mühlkreises im Visier, und kreuze so beredte Ortschaften wie Oedt, Hörlemsoedt und Afiesl. Und in Afiesl gedenke ich auch zu übernachten.

In Afiesl prallen zwei Welten aufeinander. Da ist einmal das normale Dorf mit seinen paar Bauernhäusern, einer Bushaltestelle und dem Gebäude der Freiwilligen Feuerwehr. Und da ist räumlich völlig getrennt von dieser bäuerlichen Welt ein exklusiver Hotelkomplex. »Das ist nix für Wanderer wie sie«, hat mich schon in Sankt Oswald ein Kurztratschpartner vorgewarnt. »Ich glaub nicht, daß die sie nehmen werden«, hat in Hörlemsoedt ein anderer Wohinwiegehtszufalltratscher nach einem Blick auf mein durchnäßtes Flanellhemd bekundet.

Jetzt weiß ich auch warum. In der Gartengruppe Erkerchen und Lämpchen und Statuengruppen. Auf der Terrasse der Balkon mit Säulchen und Türmchen mit Lamperln. Als würde alles den Lugners gehören, denke ich beim Vorbeirennen, ein echter Lugner-Komplex. Beim Gebäude der Feuerwehr halte ich. Es wird gerade der Maibaum aufgestellt, etwa dreißig Personen aus dem Dorf bewundern das Schauspiel, Bier wird ausgeschenkt, die kleine Dorfkapelle spielt ein paar fesche Landler.

Ich frage eine schunkelnde Vierergruppe, »Kann ich in dem Hotel da übernachten?« Die Vierergruppe blickt mich verwundert und mißtrauisch an, als hätte ich gefragt, »Hallo, wo ist hier der nächste Puff?« – »Wieso bleibens nicht bei der Frau Rosi?« –

So einer der Viererkette nach einer mittelangen Nachdenkpause. »Dort ist es außerdem viel billiger!«

Mein eigenartiger Wunsch, ausgerechnet in Afiesl zu übernächtigen, wird an die Behörde in Gestalt eines Feuerwehrmannes weitergeleitet. Der denkt kurz nach. »Wissens was, ich ruf einmal im Hotel an.« – Das Gespräch dürfte nicht einfach gewesen sein, mein Feuerwehrmann wurde drei- oder viermal weiterverbunden. Dann die Antwort. »Das tät 145 Euro kosten«. – Nach einer mittelkurzen Besprechung der Lage hat mein Freund von der Feuerwehr die rettende Idee. »Wissens was, jetzt gehen Sie einmal essen ins Hotel, den Rucksack geben wir aber in mein Auto, und in einer Stunde hol ich sie im Hotel ab und ich bring sie zur Frau Rosi.«

Gesagt getan. Eine Stunde später war nicht nur mein Hunger gestillt, sondern auch mein Wissensdurst durch die Lektüre der herumkugelnden Broschüren gelöscht. Also: Da sind sozusagen mit dem Rücken zur Grenze insgesamt drei viersternige Hotels errichtet worden, die jeweils ein paar Kilometer voneinander entfernt sind. In einem übernachtet man, wenn man total solo ist und infolgedessen unbedingt einen Partner braucht. In zweiten bleibt man, wenn man zwar einen potentiellen Partner hat, aber leider der dafür notwendigen Stimmung entbehrt. Und die Motive für das dritte Hotel liegen irgendwo zwischen den Motiven für Hotel eins und Hotel zwei. Bei den Werbesprüchen wimmelt es von wilden Mischungen der Wörter Spa wellness bio resort Moonlight Erlebnissuite – bitte testen, man kann jedes der Wörter beliebig mit jedem kombinieren. Welche Kräfte und Energien hier in Bewegung gesetzt wurden, welche Scheinwelten kraftvoll und farbenfroh inszeniert wurden, welche Riesenkomplexe ohne Geschmack und Anspruch errichtet wurden! Nur damit die Lugners und ihre Gesinnungsfeunde auf ihre Rechnung kommen? Ein Detail am Rande: Das Hotel in Guglwald ragte in den tschechischen Luftraum hinein. Daraufhin mußte die Dachkonstruktion angetragen werden. Der Grund für diese Luftraumverletzung war ein Vermessungsfehler.

Per Spaß frage ich beim Speisen – gut, daß der Rucksack im Auto des Feuerwehrlers liegt, als armselige Wanderfigur hätte ich kaum die Rezeption passieren können – , ob ich hier übernachten kann. Nein, so die Antwort, es werden nur Paare aufgenommen. Ich trinke noch ein Schlägler Bier, dann ist draußen der Maibaum aufgestellt und mein Feuerwehrmann holt mich tatsächlich ab. In drei Minuten hält er am »Urlaub am Bauernhof« bei der Frau Rosi. Ich bin der einzige Gast und mache mich breit im Trakt mit den Gästezimmern. Die Frau Rosi erzählt mir noch die Geschichte des Lenz'nhofes. Dann ist es zehn am Abend, ich gehe auf die Terrasse und blicke gegen den verdunkelten Süden. Hier könnt ich eine erhabene Weile ins Dunkel starren, um zu sehen, wie schön langsam alle Konturen verblassen, aber um elf kriecht die Kälte an meinen nackten Füßen hoch.

Abb 4: Das Relief des ehemaligen Dorfes Kapellen

Wie die Situation auf der anderen Seite der Grenze ausschaut, das erfahre ich am nächsten Tag. In Guglwald wandere ich wieder ins Böhmische, dann geht's längs der Grenze immer geradeaus. Links und rechts des Weges stehen ab und zu Kreuze oder Gedenksteine, die an die zerstörten Dörfer der deutschsprachigen Bevölkerung erinnern. Ein größeres Dorf hieß Kapellen, das Relief von Kapellen – mit Kirche und Häusern – ist auf einem Steinsockel graviert. Ich durchforste die Gegend und blicke nach Anhaltspunkten einer Besiedlung. Da, eine Kuhtränke mit den Jahreszahlen 1913. Und gelegentlich ein paar alte Obstbäume. Sonst nichts.

Das nächste noch intakte und besiedelte Dorf heißt Studánky. Doch Studánky ist nicht intakt, auch Studánky ist fürchterlich zerstört worden. Denn so schaut die Rache der Sieger aus: Um die Dominanz auf dem Hauptplatz wetteifern zwei Bordelle und zwei Vietnamesenläden. Vor den Bordellen stehen Wagen mit Linzer Kennzeichen sozusagen Wagen an Wagen, vor den Vietnamesenläden stehen an die hundert Zwerge sozusagen Zwerg an Zwerg und dazu zwei Tiger, die die hundert Zwerge bewachen. Zudem gibt's bei den Vietnamesen Zigaretten in Stangen und Schnaps in Flaschen. Skurril ist an der Situation, daß die Vietnamesen im realen Sozialismus in die damalige Tschechoslowakei geholt wurden, um dort mehr oder weniger umsonst eine gute Ausbildung zu erhalten, von wegen kommunistischer Bruderhilfe und so. Nach dem November 1989 blieben viele im Land, aber mit der Ausbildung zum Nulltarif war's endgültig vorbei. Die schlauen Vietnamesen fanden im Kapitalismus schnell eine Marktlücke – die Gartenzwerge, die sie in den Grenzsiedlungen an Deutsche und Österreicher verkauften. Dazu kamen Jeans und kitschige Stoffe, um die sich auch die Tschechen wegen ihrer günstigen Preise rissen. Schlimm war nur, daß die Vietnamesen ihre Klapp- und Tapeziertische mitten auf den Straßen und Gehsteigen aufstellten, ihre Stoffe an die Bäume hängten, an Telefonzellen ihre Stricke befestigten. So wollten die tschechischen Behörden dem Kiosk-Kapitalismus ein Ende bereiten und zwangen die Vietnamesen, in die normalen Ladenzonen zu weichen und dort auch ihre Geschäfte zu verrichten. Nunmehr sind die die Straßen und Gehsteige in den Grenzdörfern wieder passierbar, dafür kaufen die Vietnamesen einen Laden nach dem anderen auf. In Studánky kann man sehen, wie die Läden expandieren und sich schön langsam zu Supermärkten entwickeln.

Bei der tschechischen Bevölkerung ist es mit der Akzeptanz der vietnamesichen Minderheit gar nicht so schlecht bestellt. Sie sind arbeitsam, heißt es, und man kann bei ihnen billig einkaufen, sagen viele Tschechen. Und man nannte sie »rakosnici«, was einerseits mit Schilfer übersetzt werden kann – viele ihrer primitiven Produkte fertigten die Vietnamesen aus Schilf – andererseits ein wenig verächtlich mit »Rohrspatzen«.

Trotzdem bleiben die Clans der Vietnamesen in den Grenzdörfern strikt unter sich, sie besiedeln beziehungsweise errichten eigene Vororte. Den fehlenden Willen zur Integration kann man ihnen nicht unterstellen. Als ich im Dezember 2007 in Kaplice weilte, organisierte die »vietnamská společnost«, also die »vietnamesiche Gesellschaft«, eine öffentliche Veranstaltung: sie wählte und prämiierte den schönsten Nikolaus.…

Zurück zu Studánky, ein Wirtshaus gibt's natürlich auch, man will ja etwas zum Futtern haben, nachdem man vorher die Bedürfnisse anderer Art befriedigt hatte.

Die freie Marktwirtschaft geht skrupellos ihren Weg, alle Hindernisse werden ungeniert weggeräumt. Ich wette, bis 1989 war in Studánky die Dorfstruktur intakt, es gab wahrscheinlich einen »potraviny«, also einen Lebensmittelladen, der unserem alten Greißler entspricht, links und rechts der Straße standen sicher etliche Bauernhöfe mit ihren Gemüse- und Obstgärten. Dann kam die Grenzöffnung, und auf einmal lag das ehemals abgeschiedene Dorf an der Hauptstraße zwischen dem österreichischen Bad Leonfelden und dem böhmischen Vyšší Brod. Was zur Folge hatte, daß die Intaktheit und Harmonie des kleinen

Studánky zerstört wurde, der Ortskern sich in eine Bordellzone verwandelte und die eingesessenen Ortsbewohner zur Seite gedrängt wurden. Ein ähnliches Verhängnis widerfuhr allen Dörfern, die im Einzugsbereich österreichischer Autofahrer lagen.

Nach Studánky – damals Kaltenbrunn – ging der kleine Karl Woisetschläger zur Nazizeit in die Volksschule. Er wohnte bei seinen Eltern auf einem Bauernhof in Raifmass, zwei Kilometer weiter im Süden, direkt an der Grenze zu Österreich. Karl Woisetschläger beschreibt in seinem Buch »Raifmass im Böhmerwald«, erschienen in der »Edition Geschichte der Heimat«, was im Dorf passierte, als die Deutschen ihren Angriffskrieg mit Bomben und Granaten verloren und die tschechoslowakischen Behörden die Macht im Staate übernahmen. Die Deutschen wurden schikaniert, ohne zu unterscheiden, ob sie zur großen Zahl der Nazis gehörten oder zur entschieden kleineren der Nazigegner. In der Gewissheit, daß sie im neuen tschechoslowakischen Staat nicht erwünscht sind, entwickelten die Deutschen bestimmte Fluchtstrategien. Erst schafften sie im Frühsommer 1945 – illegal – in der Nacht die wertvollen Möbel über die Grenze und stellten sie bei Freunden oder Verwandten unter. Dann trieben sie die Viecher über die Grenze, sofern diese noch nicht konfisziert waren. Und schlußendlich flüchteten die Menschen selbst nach Österreich.

Einen Toten gab es allerdings in Raifmass. Einem sowjetischen Offizier gelang in den allerletzten Kriegstagen die Flucht aus den Lagern der Nazis. Er wurde im Dorf der Deutschen gesichtet, vielleicht wollte er um Nahrung betteln. Dabei wurde er von einem tapferen Dorfbewohner von hinten erschossen.

In der Zwischenzeit marschiere ich weiter nach Horní Dvořiště. Dieser Ort ist nicht vom Österreichischen mit dem Auto zu erreichen, deshalb konnte er sein Aussehen und seine Gestalt bewahren. Ein potraviny, eine Post, eine hospoda, ein Hauptplatz, der mehr einer Wiese gleicht, mit ein paar Kastanien, auf dem Hauptplatz spielen fünf oder sechs Kinder.

Ich kenne schon den Einwand: Aber wo bleibt hier die Dynamik? Die Jungen verschwinden, sie sehen hier keine Zukunft, sie können hier kein Geld verdienen, und nur die Alten bleiben übrig. Wo bleibt die Modernisierung? Zur Überwindung dieses Gegensatzes lege ich mich für zehn Minuten ins Gras, um in der Ruhe eines unzerstörten Ortes schlicht und einfach – nein, nicht ins Gras zu beißen, sondern blasphemisch in die Luft zu schauen. Nach zehn Minuten steh ich wieder auf und erblicke rechts ein monumentales Denkmal, das mich an die sowjetischen Befreiungs-denkmäler erinnert. Ich schlendere zum Sockel. Heute ist auf einer zusätzlich angebrachten Marmorplatte nur mehr eingraviert: Dik osvoboditelům, Dank den Befreiern, ohne die Befreier mit Namen zu erwähnen. Waren es tschechische Partisanen? Oder sowjetische Truppen? Oder gar die Amerikaner? Ich werde es nicht erfahren.

Der Name Horní Dvořiště ist den Bahnfahrern bekannt, weil der tschechische Grenzbahnhof der Linie Linz – Budějovice eben Horní Dvořiště heißt. Zum Bahnhof sinds aber vom Ort noch ein paar Kilometer, und ich finde einen Abschneider für Fußgänger, der nach ein paar Schritten einem Klettersteig gleicht. Wahrscheinlich kümmert sich niemand darum, wie man zu Fuß vom Ort aus den Bahnhof erreichen könne.

Gut. Ich gelange zum Bahnhof, auf dem ich zum ersten Mal 1990 anläßlich der Radlpartie mit Heinzi verweilte. Und ich bin bitter enttäuscht. Das Restaurant ist geschlossen. Der Erfrischungsladen ist geschlossen. Der Fahrkartenschalter ist geschlossen. Die Gepäcksaufbewahrung ist geschlossen. Keine Menschen auf dem gesamten Bahnhofsbereich, weder Passagiere noch Eisenbahner. Allerdings muß der Bahnhof erst vor kurzem restauriert worden sein, weil sein Aussehen sehr gefällig ist, er wurde sogar bestandsschonend restauriert und nicht auf Teufelkommraus modernisiert. – Die Logik dahinter verstehe wer wolle, ich nicht.

Abb 5: Der Bahnhof von Horní Dvořiště

Und der nächste Schock: in zehn Minuten – um 15:17, also in zehn Minuten, fährt ein Zug ins Österreichische. Das muß ich deshalb erwähnen, weil überhaupt nur drei Züge pro Tag es wagen, die nunmehr frei zu überquerende Grenze auch tatsächlich zu überqueren. Offenbar gibt es kein nachhaltiges Interesse für solche Verbindungen.

Als die Durchsage des Lautsprechers die Einfahrt des Zuges ankündigt, zeigt sich eine Eisenbahnerin auf dem Bahnsteig. Ich frage sie, wo ich denn die Fahrkarte kaufen könne. Im Zug, antwortet sie. Ich steige ein und fahre mit drei oder vier anderen Passagieren nach Summerau. Schaffner kommt keiner vorbei. In Summerau fährt der Zug nicht mehr weiter, er kehrt in seine böhmische Heimat zurück. Und ich muß in den schon wartenden Zug der ÖBB nach Linz umsteigen. Es leben die europäischen Direktverbindungen.

Von der Maltsch bis zur Lainsitz

Ende Mai sollte ich wieder nach Horní Dvořiště kommen. Ein einzelner Eisenbahnwaggon der ČD holt die wartenden Passagiere in Summerau ab, um sie die paar Kilometer ins Böhmische Horní Dvořiště zu transportieren. Was heißt da schon Passagiere. Drei tschechische Frauen mit Plastiksackerl und dazu noch ich mit meinem Rucksack. Darf sich so was überhaupt Zug nennen? Wo am Ende eine wackelige Pferdekutsche gereicht hätte? Aber freilich, dieser einwagerlige Schienenkriecher kann nichts dafür für seine desolate Einwagerligkeit. Es fahren halt keine Personen vom Österreichischen nach Budweis oder gar nach Prag, und Lasten werden wohl prinzipiell nicht auf der Schiene transportiert.

Zehn Kilometer weiter Richtung Osten erkenne ich am Kerschbaumer Sattel, wie tatsächlich die Verkehrspolitik in der EU von morgen aussieht. Ein breites Asphaltband hat sich massiv in die Landschaft gedrängt, hat die Gegend weit auseinandergeschoben und sich selbst als überlebensfähige unzerstörbare Dominante festgesetzt, während an den Rändern dieses Asphaltbandes das Leben nur mehr bedingt oder überhaupt nicht möglich ist. Ich warte am Straßenrand der die A 7 fortsetzende Bundesstraße 310: Es sind fast nur LKW's, die mit einem brummigen Tempo an mir vorbeidonnern. LKW's mit österreichischen und mit tschechischen Kennzeichen. Baustoffe, Holz und Logistik. Pro Minute ungefähr ein LKW. Dazwischen über fünfzig Sekunden Pause, nur die Breite des Asphaltbandes, das still und trostlos durch die Landschaft zieht. Dann wieder ein LKW. Personenwagen fahren kaum, der PKW Verkehr über die Grenze hält sich sozusagen in Grenzen.

Zwischen der Trasse der Eisenbahn, auf der drei leere Züge pro Tag zuckeln, und der Trasse der Schnellflitzer, auf der die LKW's die Güter über den Kerschbaumer Sattel hin- und hertransportieren, irgendwo zwischen dem malerisch gelegenen Edlbruck und dem eher zerstörten Kerschbaum, da erkennt man noch die Trasse der Pferdeeisenbahn. Man muß ein wenig nach ihr suchen oder die Einheimischen fragen, dann wird man unvermeidlich auf sie stoßen, auf die erste Schienenverbindung auf dem europäischen Kontinent. Sie wurde im Jahr 1832 errichtet, um Waren zu transportieren: Um das Salz aus dem Oberösterreichischem nach Budweis zu karren und von dort über die Moldau und Elbe nach Prag und Hamburg zu schiffen. 1872 – genau vierzig Jahre nach der Eröffnung – erwies sich das Konzept Pferdebahn als zu ineffizient: Der Betrieb wurde für immer eingestellt.

Jetzt aber hinauf nach Norden, hinauf ins Böhmische, hinauf nach Kaplice.

Kaplice belegt eindrucksvoll, wie ein Ort in unmittelbarer Nähe zur Grenze paradoxerweise durch die Öffnung dieser Grenze zerstört und verwüstet wurde. Nähert man sich mit dem Bus oder mit dem Auto, so fallen einem ohnehin nur die westlichen Discounterhallen auf, die sich an der am Ort vorbeiführenden Schnellstraße niedergelassen haben. Raumgreifend und parkplatzbietend reiht sich ein ungestalteter Megastore an den anderen, wobei Gestaltung, Bauart und Lage weder aufeinander noch auf die verdrängte Restlandschaft abgestimmt wurden. Bezeichnen wir die Discounter-Zone als Zone A, dann entspricht der Zone A der entfesselte Kapitalismus, der mit seiner ungebremsten Kraft zuschlägt und auf einer Länge von über einem Kilometer keinen Stein auf dem anderen läßt.

Nach der Zone A folgt logischerweise die Zone B. Die Zone B wird dominiert vom Kioskkapitalismus der Vietnamesen. Auf einer Länge von 800 Meter stehen überdachte Holzbuden, in denen die Vietnamesen das an die österreichischen Kunden verscherbeln, was die nicht kaufenden Österreicher entweder als Schaß oder als Klumpert bezeichnen. Wirklich verwenden kann man keine dieser Waren, aber es zeichnet den Reichtum einer Gesellschaft aus, daß ihre Individuen Waren kaufen, für die sie keine nützliche Verwendung haben. Ich weiß, ich weiß, wenn ein Schaß nichts wert ist, dann geht es um die sekundär mitschwingenden, jedoch nicht inhärenten Bedeutungen der Ware, und der Kunde stellt diese Ware dann vor seiner Haustür als Gartenzwerg ab. Und was sind die sekundär mitschwingenden Bedeutungen eines Gartenzwerges?

Bis vor einigen Jahren war die Zone B geprägt vom kleinräumigen kapitalistischen Wildwuchs. Heute entspricht die Zone B eher einem wohlgesitteten Trödelmarkt, wo es ruhig und beschaulich und ohne der marktüblichen Hektik zugeht: die Vietnamesen haben kein extrovertiertes Temperament wie die Italiener, sie brüllen nicht und unternehmen auch keine überraschenden Lockangriffe auf harmlose Passanten. Nur mit ihren Gartenzwergen können Sie mir gestohlen bleiben.

Ich meide strikt die Zone A, die Zone B wird mit forschem Schritt durchmessen, ohne den Gartenzwergen Beachtung zu schenken.

Zur Zone C: Sie entspricht dem alten Kaplice, wobei das alt ein relatives Problem ist, die Zone C entspricht dem Ort Kaplice in der Ausdehnung und Fläche von 1989. Im Kern der Zone C liegt logischerweise der Hauptplatz. Zumindest der Hauptplatz ist erhalten geblieben, Fassaden und Gebäude scheinen intakt zu sein und zu funktionieren, noch immer gibt es ein paar »potraviny«, die noch nicht durch den Druck der großen Supermärkte schließen mußten. Ich bestelle im zweitbesten Hotel auf dem Platz die unvermeidliche svíčkovou, da die besseren Hotels oft nur mehr italienische und internationale Küche anbieten und ein die »svíčkovou s knedlikem« bestellender Gast schon ein bisseil herablassend angeblickt wird. Nach dem Verzehr des ausgezeichneten »Kerzenbratens«, wie die wörtliche Übersetzung der svíčková lautet, betrachte ich die Scharzweißfotos an den Wänden des Speisesaales.

In der Phase der deutschen Besiedlung hieß das Hotel »Zum grünen Baum«. Vielleicht steht er noch, draußen im Vorgartl.

Nahezu unverändert auch der geräumige Hauptplatz mit dem Brunnen und der großen für Fußgänger vorbehaltenen Mittelfläche. Am Straßenrand parkende Autos müssen Parkgebühren zahlen. Aber die Zone C hat zwei Gesichter. Wer vom Hauptplatz 50 Meter in die Seite sticht und dort auf einer Parallelstraße wandert, erblickt alle zehn Meter die noční bar, oder den night-Club, oder die Herna-Bar. Damit all deren Geschäfte florieren: Wieviele Autos müssen pro Nacht von Freistadt oder von Linz über die Grenze fahren? 500, oder Tausend? In Linz rümpfen die Anrainer die Nase, wenn in ihrer Wohngegend ein Puff seine Pforten öffnet. Hier in der Puffmeile sind die Anrainer schon froh, wenn sie die Mädchen von der Straße wegkriegen und in die abgedunkelten Häuser zwingen. Und die in den Seitengassen parkenden österreichischen Autofahrer machen sich auch nicht sonderlich beliebt, weil hier schon darüber debattiert wird: Wer ist jetzt schuld, daß die Österreicher uns dauernd die Seitenstraßen verparken: die ukrainischen Sechzehnjährigen, die von mehr oder weniger seriösen Geschäftsleuten hier zur Prostitution eingeteilt werden? Oder die Kunden aus Freistadt und Linz, die trotz Spritkosten hier noch immer billiger aussteigen als bei einem Bordellbesuch in der Umgebung von Linz?

In Dolní Dvořiště gibt es wahrscheinlich mehr Prostituierte als Einwohner. Den Ort schau mir lieber auf den alten Ansichtskarten an, die ich auf Werbetafeln am Stadtrand finde, und biege Richtung Osten ab. Die alte vor ein paar Jahren asphaltierte Straße führt mich über Tichá nach Zetviny. Hier, in Zetviny, bin ich wieder in der Nähe der Grenze, und die Grenze wird gebildet von der Maltsch – tschechisch die Malše. Das kleine Bacherl fließt hinunter nach Dolní Dvořiště, dort dreht es sich gen Norden und mündet in Budweis in die Vltava, die die Deutschen früher als Wulta oder Wultau bezeichneten.

Im verregneten Zetviny versinke ich, nein nicht in der Maltsch, sondern im Matsch. Ich setze mich auf einen Stein und versuche mich zu erinnern. Zum ersten Mal sah ich Zetviny, als ich zusammen mit Heinzi vor etwa zwanzig Jahren während der Grenzradtour von Leopoldschlag zum auf einen kleinen Hügel postierten Mahnmal für die Vertriebenen radelte. Ein gepflasterter Sockel, darauf ein rechteckiger Stein, darauf eine Platte, in der die Konturen von Zettwing eingeritzt waren. Blickte man über den Stein hinunter zur Maltsch, dann erkannte man nur mehr den aus üppigen Baumwipfeln herausragenden Kirchturm, genauer gesagt, fast nur das Dach des Kirchturms. Alles andere existierte nicht mehr.

Das historische Zettwing entwickelte sich zwischen der Maltsch und der Marienkirche. Zettwing wurde bald zu einem der Hauptorte an der Grenze zwischen Böhmen und Oberösterreich, im 19. Jahrhundert stagnierte jedoch der Wachstum des Ortes an der Maltsch. Im Jahr 1930 wurden noch 121 Häuser – davon mehrere Wirtshäuser – und 552 Bewohner gezählt.

Als wir anlässlich der damaligen Radtour in den Wirtshäusern in Leopoldschlag einkehrten, erzählten uns die Alten, daß sie früher am Sonntag mit ihren Eltern nach Zettwing in die Kirche gingen. Erstens war der Pfarrer schneller und die Messe somit kürzer, und zweitens war das Bier auf der anderen Seite der Maltsch billiger.

Damals gab es rege Kontakte über die Grenze, die nur von den »Finanzern« kontrolliert wurde. So ging man barfuß von Leopoldschlag hinüber, um mit Schuhen der Marke Bata zurückzukehren. Allerdings wußten die »Finanzer«, daß die Bata-Schuhe auf der Gummisohle ein B eingraviert hatten, dessen Abdruck im Sand jederzeit erkannt werden konnte. Das wußten auch die österreichischen Bata-Käufer, die ihre neuen Schuhe, die besten und billigsten im damaligen Europa, mit Dreck und Gatsch einschmierten, um so den Weg zurück ins batalose Österreich anzutreten…

In dieser Gegend begann der Krieg früher. Nicht mit dem 1. September 1939, dem Überfall der Nazis auf Polen. Nein, hier begann er schon mit dem völkerrechtlich unhaltbaren Münchner Abkommen vom 30. September 1938, in dessen Folge die Truppen der Nazis die mehrheitlich von Deutschen besiedelten Gebiete besetzten. Dabei wurden sie und vor allem Adolf Hitler persönlich von vielen Deutschen als Befreier und Erlöser bejubelt und gefeiert. Drei Gruppen waren aber in diesen okkupierten Gebieten nicht mehr erwünscht und mußten flüchten. Die Tschechen, die antifaschistischen Deutschen und die Juden. Manche flohen freiwillig, hatten sie doch die Drohungen der Sudetendeutschen im Ohr, die ihnen den Tod ankündigten, wenn erst der Hitler einmarschiert wäre. Andere erhielten den Bescheid, daß sie innerhalb weniger Stunden mit wenig Hausrat das Gebiet des nunmehrigen Deutschen Reiches verlassen mußten.

Und hier in Zettwing endete der Krieg auch nicht mit der am 8. Mai 1945 erfolgten Kapitulation der Nazis in Prag, nein, er endete etwas später mit der Vertreibung der Deutschen. Nach der Niederlage des Dritten Reiches haute jene Deutschen ab, die in Partei- oder parteinahen Organisationen tätig waren, der andere Teil wurde von den neuen Herrschern durch vielerlei Schikanen genötigt, das Land zu verlassen. Nun begann auch in Cetviny der Versuch der Neubesiedlung, in die verlassenen Höfe wurden rumänische Tschechen und Slowaken einquartiert, die »Neubesiedelungen« erhielten durch die Anwesenheit von Politikern einen offiziösen Anstrich.

Dieser Versuch scheiterte, als zwei Jahre nach der Machtergreifung der KPČ – der Kommunisten – der Grenzstreifen geräumt und entsiedelt wurde. Diesmal mußten schon wieder alle aus Cetviny verschwinden, aufgebaut wurden ein paar läppische Kasernen, in denen die Soldaten stationiert waren. Die Bauernhöfe und die Marienkirche unterlagen jenem unaufhörlichen Prozeß, der langsam und bedächtig alles aus der Hand des Menschen

Erschaffene zurückführt in jene Zeit, als es die schaffende Hand noch gar nicht gab, und als ich vor zwanzig Jahren aus dem Österreichischem hinüberblickte, da erkannte wir nur mehr den Kirchturm, der aus den wuchernden Baumwipfeln ragte.

Zwanzig Jahre später stehe – oder besser sitze – ich das erste Mal auf einem Baumstumpf in Cetviny. Der dichte Wald läßt nicht mehr erahnen, daß hier in den Dreißigerjahren noch 121 Häuser mit über 500 Bewohnern standen. Durch den anhaltenden Regen sind die Wiesen zwischen den Fichtenwäldern aufgeweicht, jeder Schritt abseits des Weges führt mich in Gatsch und Matsch, aber nicht zur Maltsch, zu der ich mich durchschlagen möchte. Weiter hinten stehen eingefallene Kasernen, die mich nicht weiter interessieren. Gleich neben dem Weg das einzige Gebäude weit und breit, die gotische Kirche der Geburt der Jungfrau Maria, errichtet im Jahre 1384, begonnen mit der Renovierung im Jahre 1995, abgeschlossen einige Jahre danach. Nun wacht die Kirche einsam und verlassen im dichten Wald über feuchte Wiesen und viel Gatsch, und obwohl ich zwei Runden durch den Gatsch stampfe, finde ich keinen Eingang.

Dafür erspähe ich ein paar Steinwürfe weiter einen asphaltierten Weg, und ich bin froh, daß ich kein Auto bin, denn sonst dürfte ich laut Verkehrsschild diesen Weg nicht benutzen. Fünf Minuten später gehe ich am alten tschechoslowakischen Zollhaus vorbei, erreiche die Brücke über der Maltsch und gaffe trübsinnig in das kleine vor sich hinsprudelnde Bacherl. Die Schilder »Achtung Staatsgrenze« bzw. »Pozor statní hranice« sind abmontiert, eigentlich deutet nichts mehr daraufhin, daß ich mitten auf einer Grenze stehe, die die beiden Länder Jahre lang voneinander trennte. Im Jahr 2006 ist diese Brücke errichtet worden, bis Ende 2007 durfte sie nur von Wanderern und Radlern benutzt werden, jetzt ist sie Allgemeingut. Langsam stapfe ich ins Österreichische und sichte eine verfallene Mühle, die Lexmühle. Wie ich später erfahre, ist sie vom Hochwasser 2002 zerstört worden.

Die Besitzerin wohnt jetzt im Gebäude auf der anderen Straßenseite und hofft, daß mit finanziellen Mitteln des Landes aus der Mühle ein Mühlenmuseum wird. Im Moment gibt nur eine kleine Tafel Auskunft. Kein Mensch weit und breit, ich stehe sozusagen allein auf weiter Flur, bis zwei Katzen aus dem verfallenen Gebäude auftauchen und auf meine Schienbeine springen. Langsam schlendere ich wieder zurück zur Brücke, blinzle genau in der Mitte etwas gelangweilt auf jene fiktive Linie, die allgemein als Staatsgrenze bezeichnet wird, und bewege mich ins Böhmische, die Katzen stets einen Schritt hinter mir. Gut, daß nunmehr das Überschreiten der Grenze erlaubt ist, sonst wären die beiden Katzen illegal in der tschechischen Republik.

Die Maltsch, ein kleines Bacherl, das kaum gurgelt und plitscht, das in abgerundeten Bögen und sanften Kurven die intakte Landschaft prägt. Und doch gibt es keine Bezeichnung »Maltschtal«, es gibt entweder die österreichische Seite, auf der die Straße verläuft, auf der tschechischen Seite existiert nur mein Wanderweg, von einem geschlossenen Tal kann im Sprachgebrauch keine Rede sein. Die zweite Brücke nach der Lexmühle – die »Steinerne Brücke«, führt mich bereits ins österreichische Windhaag.

»Die steinerne Brücke« ist übrigens der Titel eines Buches, das Franz Kargl aus Windhaag verfaßte, sein Elternhaus, die Kregl-Schmiede, steht unmittelbar an der Maltsch. Im Buch erzählt der Grenzbewohner von Hunden und Kühen, die sich auf die andere Seite der Maltsch verirrten, aber auch von gemeinsamen Badeerlebnissen mit tschechoslowakischen Grenzsoldaten.

Im Windhaag gibt es sechs Wirtshäuser, wie mir die Wirtin im »Anzinger« erzählt. Sie zeigt mir die Fotos vom Hochwasser 2002, als sich die kleine Maltsch in einen reißenden Strom verwandelte und die Lexmühle zerstörte. Ich erwähne, daß ich von Cetviny komme. »Aha, von Zettwing«, so die Wirtin. »Ja, da leben noch immer Leute da. Die haben sogar Geschäfte gehabt in Zettwing.«

– »Was, noch immer? Das geht sich doch zeitlich nicht aus?« –
»Aber ja, die sind jetzt 80, 85 Jahre alt. Gehören Sie leicht auch zu
denen, die immer wieder herkommen, um die alten Geschichten zu
erzählen?« – Von dieser Frage bin ich doch etwas überrascht, aber
ich bin schon mehrmals im Laufe meiner Grenzwanderung auf
Gesprächspartner getroffen, die mit den Berufsvertriebenen der
Sudetendeutschen nichts anfangen konnten. – »Nein, ich geh nur
gern wandern, und in Böhmen ist es schön und ruhig.« – »Ja das
stimmt, und Radfahren kann man ausgezeichnet«, so die Wirtin,
die übrigens aus Afiesl stammt und mir noch einiges über die
Stammgäste in den sonderbaren Hotellandschaften erzählt.

Am nächsten Tag gehe ich über die Steinerne Brücke wieder
ins Böhmische und stapfe weglos eine Stunde längs der Maltsch.
Dann wird mir die Stapferei zu blöd, ich verlasse das kleine
Bacherl und steige bergauf, bis ich auf eine lesní cesta, also auf
eine Forststraße stoße. Mutterseelenallein wandere ich den ganzen Tag durch böhmische Wiesen und böhmische Wälder und
böhmische Dörfer, in Pohorská Ves setze ich mich kurzerhand
auf die Stufen vor der Kirche, die man wegen Einsturzgefahr
nicht betreten darf, in Hojná Voda ärgere ich mich über das
geschlossene Restaurant »Na vyhlidce«, also zur Aussicht, weil
sich vom Biergarten aus tatsächlich eine herrliche Aussicht in das
Gratzener Becken bietet, aber zur Zeit Baugeräte und Kramuri
im Garten herumlagern, und in Dobrá Voda wasche ich mir die
Augen, da das Wasser aus der Quelle vor der Wallfahrtskirche
gegen Augenleiden hilft. Die Deutschen sagen Brünnl oder
Bründl zur Kirche, und als hier noch die deutsch Sprechenden
siedelten, kamen jährlich an die 70.000 Wallfahrer zum Bründl.
Nun sind aber die Tschechen kein Volk der Wallfahrer, das hängt
mit ihrer laizistischen Haltung zusammen, aber um das zu erklären, müssen wir weit zurückgehen, und das ist ein bisschen zu
weit, wenn man in dem kleinen Beisl neben der Kirche sitzt und
sich an einer mineralka sowie einem Türkischen labt.

Abb. 6: Die »Steinerne Brücke« über die Maltsch

Weiter über Šejby längs der Grenze nach Nové Hrady, dem ehemaligen Gratzen. Leider gibt es in Grenznähe nur mehr Radwege, es gibt viele Kreise und Achter für Radler, es gibt 30 Kilometer-Routen und 60 – Kilometer-Routen, und für Radwege werden sogar Subventionen gewährt, vom Land oder gar von der EU, obwohl man für die Erhaltung der Radwege kaum viel Geld ausgeben muß. Wer aber auf der Strecke bleibt, das ist der Fußgänger. Fußgänger gibt's nicht mehr. Die sollen sich gefälligst ein Auto kaufen, wenn sie überhaupt das nötige Geld dafür haben. Wahrscheinlich sind sie Hungerleider, die sich um Gottes Lohn einen schönen Tag machen wollen. Sogenannte Sozialtouristen, das klingt schon fast wie Sozialschmarotzer. Leider gibt's auch keine Rastplätze mehr, mit Bankerl und Eßtischen und Abfallkübel, von einer Quelle will ich gar nicht reden. Und Aussichten auf anmutige Täler oder schroffe Berge sind schon längst abgeschafft.

Also Nové Hrady. Wie immer speise ich bei U Heidingerů. Pan Heidinger ist im Zweitberuf Musiker, und nach dem dritten

Bier gibt es jedes Mal mit ihm die Drittbierplaudersation. Dann pflegt mich Pan Heidinger zu fragen: »Woher kommen denn Sie?« Und ich antworte regelmäßig: »Aus Wien!« – Und Pan Heidinger: »Und wieso sprechen sie tschechisch?« – Darauf ich, angeberisch: »Ach, in Wien sprechen viele tschechisch.« – Pan Heidinger: »Ich bin oft in Wien. Beim Musikfest im böhmischen Prater.« Und ich: »Ja, kenn ich, der liegt in Favoriten.« Er: »Ja, wissen Sie, ich bin nämlich Musiker. Blasmusiker.« Ich: »Wann kommen sie das nächste Mal?« Er: »das weiß ich nicht, ich muß denen das Bier servieren, die warten schon seit fünf Minuten.« Und ab ist er mit seinem Tablett mit den fünf oder sechs vollen Bierkrügen. Und ich werde nie erfahren, wann Pan Heidinger das nächste Mal im böhmischen Prater auftreten wird.

Abb 7: Wirtshaus in Nové Hrady

Weiter nach České Velenice und der Komplementärstadt Gmünd. Zuerst erreiche ich den Friedhof, der ein wenig außer halb der Stadt liegt. Der Besuch dieses Friedhofs ist für Friedhofsforscher und Totengedenker unerlässlich. Längs einer

Seitenmauer verläuft die Grenze nach Österreich, eine Friedhofsmauer trennte die beiden Länder, 40 Jahre lang bestand der »Eisernen Vorhang« aus den verputzten Ziegelmauern. Hier wurden die trauernden Besucher angesichts der Grenze mit dem Sterben vertraut, mit den Wachtürmen rund um den Friedhof und dem Stacheldraht auf der Mauer kam man sich schon in seinem irdischen Leben ein wenig eingesperrt vor.

Aber jetzt sind die Grenzen durchlässig, vom Friedhof aus könnte man direkt – nein, nicht nach Gmünd, eigentlich ins österreichische Wielands springen, und vom österreichischen Wielands aus kann man 200 Meter weiter unkontrolliert nach Velenice fahren. Logischerweise sind unter den ersten Häusern zwei Puffs, dann folgen die unverwüstlichen Herna-Bars. Im Zentrum sind die Läden der Vietnamesen, es gibt auch mehrere cukrarny, in denen die hungernden Österreicher kistenweise Schaumrollen und Knabbergebäck kaufen – manche Tschechen äußersten bereits die Befürchtung, in Gmünd seien die Mehlspeisen für immer ausgestorben.

Erreicht man den Ort, sucht man vergebens das Zentrum, die historische Entwicklung aus einer geschlossenen Altstadt ist nicht erkennbar. Warum. České Velenice ist eine im Jahr 1920 gegründete Stadt, die damals aus dem Zusammenschluß dreier Dörfer entstand: Dolní Velenice/Unter Wielands, Česká Cejle/Böhmzeil und Josefsko/Josefschlag, und die Stadt hieß zwei Jahre Český Cmunt, ehe sie 1922 den heutigen Namen erhielt. Und das Unsystematische, das Unharmonische, das merkt man der Stadt noch heute an.

Auch heute ist eine Zweiteilung erkennbar. Auf der einen Seite das alte Wielands, das mehr oder weniger vom roten Mileau und den sich in dessen Schutz bewegenden Gestalten dominiert wird. Und die alte Böhmzeile, auf der sich auf ehemaligen Wiesen die Supermärkte und Einkaufszentren aneinanderreihen.

Da sie an Sonntagen geöffnet haben, trifft man am Tage des Herrn dort zahlreiche kaufwillige Gmüdner.[1]

Viel erzählt mir immer wieder Jiří Sedláček, Leiter der Eisenbahnwerkstätte, über diese Stadt. Auch diesmal treffen wir uns in der Cukrarna und reden über die Nationalitätenprobleme. Pan Sedláček hat ein ausgeprägtes Gespür für Literatur, auch für deutschsprachige Literatur, zudem spielt er galant auf der Geige. Als kurz nach dem 16. 11. 1989 der erste Zug von Velenice nach Gmünd fuhr und die Tschechen mit einem normalen Reisepaß die Nachbarstadt besuchen konnten, da stand er im ersten Waggon und fiedelte. Und er fiedelte, als in Gmünd die Delegation auf dem Bahnsteig stand und die Tschechen zum ersten Mal seit vierzig Jahren auf der anderen Seite der Lainsitz aus dem Waggon kletterten. »Warum magst Du die deutsche Literatur?« frage ich ihn. – »Die Sprache kann nichts dafür, daß immer gestritten wird. Es sind die Sprecher.« – Und er erzählte mir ein schönes Beispiel einer übernationalen Existenz. Als der Brünner Viktor Kaplan – ja, der mit der Turbine, wer denn sonst – gefragt wurde, ob er jetzt ein Tscheche sei oder ein Deutscher, antwortete er, er verstehe die Frage nicht ganz, er sei schlicht und einfach ein Brünner.

Für mich ist das Zentrum der riesengroße Bahnhof, und im Bahnhof wiederum das wunderbare Bahnhofsrestaurant. Ich setze mich an einen freien Tisch, eineinhalb Minuten später bringt der Kellner das Bier. Beim ersten Schluck blicke ich die hohen Wände des Saales empor, beim Ansetzen des Krügerls wird der Kopf anatomisch sowieso in diese Haltung gezwungen. Etwa acht Wappen pro Wandseite, dazwischen reichlich Dekorelemente. Dieser typisch kakanische Wappensaal entspricht der Bedeutung, die der Bahnhof vor 1918 hatte: Beim Bau der Franz-Josephs-Bahn beschloß man, die Werkstätte für die gesamte Strecke von Wien nach Prag hier auf einer freien Fläche im Norden von Gmünd zu errichten. Errichtet wurde

Bahnhof und Werkstätte zwischen 1869 und 1871, allerdings wurden große Teile des Bahnhofes nach den Kriegsschäden neu errichtet. Und die Werkstätte existiert noch immer, sie ist spezialisiert auf die Reparatur alter Lokomotiven und Waggons, auch Dampflokomotiven werden hier instandgesetzt.

Und dann kam das Jahr 1918, und dann kam die Grenze, die aber jetzt keine mehr ist. Man kann Grenzen übertreten, oft wird das von Motivationsgurus bejubelt, wenn es die eigenen Grenzen sind. Bei Staatsgrenzen ist das komplizierter, deshalb braucht man Grenzkontrollen. Die kontrollieren aber nicht die Grenze, sondern die Leute, die die Grenze überschreiten, überwinden oder durchbrechen wollen. Seit 2008 sind die Krontrollen weggefallen, und übrig bleiben Punkterl und Stricherl auf der Landkarte, und wie das ist mit den Punkterl und Stricherl in den Köpfen, das kann ich nicht beantworten, wenn ich in Velenice im Bahnhofsrestl sitze und das zweite Bier trinke.

Nach dem zweiten Bier verspüre ich Hunger auf eine svíčková. »Leider«, antwortet der Kellner, »Die Küche sperrt schon um halb drei«. Ich blicke auf die Uhr. Es ist Punkt drei und mir bleibt nichts anderes übrig als das dritte Bier zu bestellen. Kurz darauf muß ich aufs Bahnhofsklosett. An die Klotür schrieb jemand mir rotem Filzstift: »Spirit of 45«, darunter »game over Krauts« – Krauts, die englische Bezeichnung für die Deutschen.

Das »game over« gilt für den Zweiten Weltkrieg, aber nicht für das stattlichste Haus im Ort, für das alte Hotel Regent. Dort hat nämlich das Spiel gerade begonnen: Das Hotel mutierte zu einem Casino. Ich gehe vom Bahnhof hinunter zur Lainsitz/Lužnice, links an der Ecke zur Böhmzeile/Česká Cejle kommt das ehemalige Hotel, das nun im Kapitalismus alles zu bieten hat, was Westkonsumenten so wollen: mit »Tipsport nonstop« auf einem Fenster, auf dem nächsten Fenster »Ruleta«. Ober den Fenstern ein Schild mit »Karaoke«. Weiters wird für Zigaretten und für Budweiser geworben. Auch die Bausubstanz hat sich entsetzlich verschlechtert, das ehemalige klassizistische Hotel gleicht einer wilden Anhäufung von Kitschzitaten.

Schnell weiter, ich nehme den Fußweg, um zur alten Brücke über die Lainsitz/Lužnice und somit zur Staatsgrenze zu kommen. Früher wiesen Schilder den Weg: »k celnímu hraničnímu přechodu«, also zum Zoll-Grenzübergang. Heute gibt es diese Schilder nicht, und nur Ortskundige finden den Weg zwischen die Hinterhöfe hindurch, dann über ein paar Wiesen bis zur Lainsitzbrücke.

Gut. Ich stehe wieder einmal auf einer Brücke und blicke ins Wasser, in dessen Mitte die Trennungslinie zwischen zwei Staaten verläuft. Drüben an der anderen Seite der Lainsitz liegt Gmünd. Ich fotographiere das kleine Bacherl, das hier träge und langsam und wie mir scheint auch nicht besonders rein durch das enge Bett unter der Brücke fließt. Dann spucke ich ins Wasser, genau in die imaginäre Grenzlinie, um zu testen, ob die paar Fische nach meiner Spucke schnappen.

Schon wieder so ein Fluß, der die beiden Länder trennt. Das war aber nicht immer so. Bis zum Ende des 1. Weltkrieges gehörten dreizehn nördlich der Lainsitz gelegene Gemeinden zu Österreich. Bei den Verhandlungen um die neuen Grenzen schritt eine alliierte Kommission die Gegend ab, sichtete, tagte und nächtigte, und faßte sodann den Entschluß: Die Lainsitz ist die Grenze zwischen Österreich und der neu entstandenen Tschechoslowakei, dreizehn Gemeinden im Norden des Bacherls werden sozusagen Österreich weggenommen und der ČSR zugeteilt.

Hoch stiegen die Wogen der Empörung in Österreich, von Schande und von Schmach war die Rede, von Siegerjustiz und von pfuigack die Tschechen, erst verraten sie uns und dann werden sie noch mit Gebieten belohnt für den Verrat.

Waren die Motive der alliierten Kommission: Wir wollen das klein gewordenen Österreich zusätzlich bestrafen und so die

Rache der Sieger exekutieren? Oder – so meinen die meisten Historiker: Es überwogen pragmatische Kriterien. Das Eisenbahnnetz der ČSR wäre ohne den Bahnhof Gmünd ein Torso geblieben, weil der Bahnhof das Gelenk bildet der Linien Prag-Gmünd und Gmünd-Budweis.[2]

Jedenfalls schäumte nicht das Bacherl der Lainsitz, sondern die Wut der nationalistisch eingestellten Österreicher, und der Mythos der geteilten Stadt Gmünd entstand. Dabei wurde Gmünd nie geteilt, die tschechischen Gemeinden hatten nie zur Gemeinde Gmünd gehört, aber mit dem Mythos »Geteilte Stadt« konnte man sich gut verkaufen und sich einreihen in die Front der tatsächlich geteilten Städte, wie Goricia/Nova Gorica/Görz oder Görlitz/Zgorzelec.

Eines verlor die Stadt Gmünd tatsächlich: den Bahnhof. Der war auf einmal in einem anderen Land. Und der hochmoderne Oberleitungs-Bus war für die Katz, der das Zentrum Gmünds mit dem doch etwas entfernten Bahnhof verband. Und ein neuer Bahnhof mußte auch noch gebaut werden.

Und als Reste der österreichischen Besiedlung verblieben in Velenice: Auf dem Fuß eines übriggebliebenen Leitungsmastes kann man lesen: Röhrenwerke Komotau. Fährt man aus der Stadt Richtung Třeboň, erblickt man rechterhand das Geburtshaus des von den Nazis als Held gefeierten Jagdbombers Walter Novotny. Und vom Wappensaal im Bahnhof hab ich ja bereits berichtet.

Also gut, ich stehe auf der Brücke und spucke ins Wasser. Ist ziemlich wurscht, weil außer mir – auch das bin ich bereits gewohnt – sowieso kein Mensch über die Brücke geht[3].

Dabei wurde diese Trasse – der alte Fußgängerweg auf der Lainsitzbrücke – früher oft benutzt: Von der Eisenbahn. Genauer von der dampfbetriebenen Schmalspurbahn, die vom Hauptbahnhof im heutigen Velenice nach Litschau und nach Heidenreichstein führte. Und über diese Brücke dampften die

Züge bis weit über das Jahr 1948 hinaus. Obwohl damals der »Eiserne Vorhang« beide Staaten trennte, lag der Endbahnhof der Schmalspurbahn auf dem Territorium der Tschechoslowakei. Die damaligen Machthaber legten indes keinen Wert auf grenzüberschreitende Bahnverbindungen. Auf ihre Kosten ließen sie eine neue Gleisverbindung der Schmalspurbahn zum neuen Bahnhof in Gmünd errichten. Die alte Verbindung über die Lainsitzbrücke wurde gekappt, die Gleise auf tschechoslowakischem Territorium entfernt. Und genau auf dieser Trasse befindet sich der heutige Fußgängerweg zwischen České Velenice und Gmünd.

Wie gesagt, oder besser wie gespuckt, dem Wasser der Lainsitz wird's nichts anhaben, und ich gehe zwischen den ehemaligen Grenzcontainern durch und befinde mich in Niederösterreich. Als der Container noch besetzt war, fragte ich einmal den österreichischen Zöllner: »Und wie viele Zigaretten darf ich eigentlich mitnehmen?« – »Das wird bei uns so ausgelegt: Eine Packung und eine angefangene.« – Und wie viel Bier?« – »Nur für den Eigengebrauch.« – »Ja und wie viel ist das?« – »Soviel Kisten sie halt tragen können!«

Fünfzehn Minuten nach der Lainsitzbrücke stehe ich vor dem Bahnhof Gmünd. Man muß aber den Weg kennen, er führt längs oder auf der Trasse der von der ČSSR bezahlten Schmalspurbahn. Verirren kann man sich dabei nicht, die Gleise führen mit hundertprozentiger Wahrscheinlichkeit tatsächlich zum Bahnhof Gmünd.

Die Vorfreude meinerseits ist groß, denn im neuen Gmündner Bahnhof gibt's noch immer eines der seltenen Bahnhofsbeisln. Ich gehe flugs zur Eingangstür. Im Gastsaal ist es finster, auf einem Zettel an der Türe lese ich, daß das Bahnhofsbeisl schon um 14 Uhr seine Pforten geschlossen hat.

Anmerkungen

1 Im Sommer 2009 besuchte ich wieder České Velenice. Die gesamte Stadt ist eine einzige Baustelle, soweit mein erster Eindruck. Sowohl die Hauptstraßen als auch der Bahnhof werden umgebaut, saniert oder renoviert. Statt des Zuges fährt ein Ersatzbus. Auch die Prostituierten haben die Strategie geändert: Sie stehen auf der Umfahrungsstraße. Die Buchhandlung auf der Hauptstraße hat noch offen.

2 Allerdings sollte vermerkt werden, daß schon 1918 die nationalen Scharmützel in diesem von »Deutschen« und Tschechen« bewohnten Grenzgebiet starteten. Die Tschechen begrüßten die Staatsgründung der ersten tschechoslowakischen Republik und schmückten Haus und Hof mit den tschechischen Fahnen. Die verärgerten Österreicher reagierten heftig: die Staatsbahnen kündigten alle tschechischen Mitarbeiter, und das waren sehr viele, weil die Arbeiter in der Eisenbahnwerkstatt zumeist Tschechen waren. »Deutsche« Hausbesitzer wurden aufgefordert, die tschechischen Mieter zu feuern, Geschäftsleuten wurde verboten, Waren an Tschechen zu verkaufen. Die neue tschechoslowakische Regierung legte daraufhin offiziell in Wien einen harschen Protest über diese illegalen Maßnahmen ein; die Kündigungen der tschechischen Arbeiter mußten daraufhin zurückgenommen werden.

Dann wurden die dreizehn gemischtsprachigen Gemeinden der ČSR zugeteilt, und der junge Staat übernahm teilweise die Methoden des verhaßten österreichischen Staates. So wurden jene Eisenbahner entlassen, die sich weigerten, die tschechische Amtssprache zu erlernen; Andererseits war es für viele »Österreicher«, um einmal vom »Deutschen« wegzukommen, schlichtswegs unter ihrer Würde, die vermeintliche Sprache der Dienstboten und Küchengehilfen »in den Mund zu nehmen«.

3 Eine Ausnahme sind die tschechischen Schüler, die in Gmünd die Handelsakademie im Rahmen eines Sonderprojektes besuchen. Sie fahren bis Velenice mit den ČD, den Tschechischen Zügen, dann gehen sie zu Fuß über die Grenze, weil sie sich die Bahnfahrt mit den Zügen der ÖBB nicht leisten können.

Waldviertel oder Tschechisch-Kanada?

Am nächsten Tag wieder zurück nach České Velenice. Am Bahnhof stelle ich fest, daß ich auch im Hotel »Galant« zu einem günstigen Preis übernachten hätte können. Macht nichts, hinein in den Zug nach Májdalena. In den Stationen auf der Strecke werden die Züge noch von Personen abgefertigt, die mit einem Signalstab – ja wie heißt das Trum wirklich. Zuerst verschwinden nämlich die Dinger, dann verschwinden die Namen, und nach zehn Jahren kann sich keiner mehr erinnern. Also der Eisenbahner mit der Schirmmütze dreht den Signalstab, sodaß die grüne runde Fläche zum Lokführer weist, dann schwenkt er einzweidreimal mit dem Signalstab – der Zug kann starten.

Von Májdalena aus starte ich zu Fuß auf der Straße nach Chlum, ziehe an den beiden Teichen vorbei und wechsle wieder ins Österreichische. Das Waldviertel heißt eben Waldviertel: Dichte und seelenlose Fichtenwälder, dazwischen bemooste Schiefersteine, wenn man die dünne Moosschicht kratzt, dann zerschneidet man sich an den Steinen die Fingernägel. Zwischen den Füßen der Fichten breiten sich die Heidelbeeren aus. Ab und zu huschen Eichkätzchen über den Weg. Nach einigen Kilometern die erste Lichtung: Josephstal. Das einzige, das hier Bestand hat, ist das Grab für sechs Soldaten der Deutschen Wehrmacht, die im April 1945 von der böswilligen Roten Armee ermordet wurden. Hingegen verfallen fast alle anderen Baulichkeiten des Ortes.

Lieblicher der nächste Ort, das nördlichste Dorf Österreichs mit dem kurzen und schroffen Namen Rottal. Meine Vorfreude ist groß, ich möchte im nördlichsten Dorf das nördlichste Wirtshaus besuchen und im nördlichsten Wirtshaus meinen nördlichsten Kaffee trinken. Endlich, eine große Lichtung mit dem unvermeidlichen Fischteich, lose verstreut ein paar Häuser, eher Sommerresidenzen denn Bauernhäuser, und gleich das erste Haus ist das Wirtshaus der Marie Perzy. Ausgerechnet heute hat sie geschlossen, erst morgen, am Mittwoch, öffnet sie um 17 Uhr ihre gastfreundliche Pforte. »Gemischtwarenhandlung und Gasthaus« steht über der Tür, mißmutig setze ich mich zum Kreuz auf der gegenüberliegenden Straßenseite und lese die Inschrift unter dem Gekreuzigten: »Speis und Trank Gott sei Dank«. Also greife ich nach der Mineralwasserflasche in meinem Rucksack und leere Gott sei Dank einen halben Liter.

Weil ich schon im nördlichsten Dorf bin: Ich will auch zum nördlichsten Punkt Österreichs, und nach einer halben Stunde ab der Perzy stehe ich tatsächlich beim nördlichsten Grenzstein Österreichs. Der markierte Weg – der Wanderweg 608 – dürfte kaum begangen sein, mitten auf dem Weg wachsen einen halben Meter hohe Lupinen. Und beim nördlichsten Punkt Österreichs muß man halten und umdrehen, außer man will ins Wasser purzeln oder zu einem Achtmetersprung ansetzen. Ein Flüßchen mit der Bezeichnung Červený potok umrundet den Grenzstein, und ein Weiterkommen ist praktisch unmöglich.

Glücklicherweise habe ich vor zehn Minuten ein Brückerl gesichtet, das über den Červený potok führt. Errichtet wurde es als Privatinitiative, sozusagen als Privatüberbrückung, von der Familie Hauser. Bis in die Fünfzigerjahre konnte man – illegal? – auf einer Steinbrücke ins andere Land wechseln, jetzt weist nur eine Tafel darauf hin, daß der Wanderer »auf eigene Gefahr« über die Brücke steigt. Kurz hinter der Holzbrücke, bereits im Böhmischen, folgt die zweite Tafel. »Rottal…seit Generationen als Tal der Liebe genannt. Eine Bezeichnung, die möglicherweise mit dem nördlichsten Gasthaus in Zusammenhang stand. Dieses wurde im vorigen Jahrhundert von attraktiven Wirtinnen mit großem Herz betrieben und war zur späten Stunde bei den Gästen wirklich beliebt«. – Und ausgerechnet heute hat die Perzy geschlossen!

Abb 8: Der nördlichste Punkt von Österreich

Das nächste lapidare Ereignis auf der böhmischen Seite: der »kámen republiky«. Der Stein der Republik stellt die Ausdehnung eines Landes dar, das es längst nicht mehr gibt: Der Tschechoslowakei. Bei genauerer Betrachtung der Tschechoslowakei stellt sich heraus, daß nicht die Form des Steines, sondern eine ausgemeißelte Fläche im Stein der tatsächlichen Gestalt der Tschechoslowakei entspricht. Und folgender Text ist in die Tschechoslowakei eingemeißelt: Naše je a naše zustane. Unser ist und unser bleibt. Und damit man merkt, wie alles vergänglich ist, erkennt man auf der rechten oberen Seite des Steines die eingekerbten Buchstaben: Bis wir kamen, 1938. Pff, sollte der Stein dazu melden. Und dann sollte dem Stein die Luft ausgehen, als wäre er ein Luftballon, und damits schneller geht, treibe ich mit dem Hammer einen Nagel hinein.

Der nächste Ort heißt Nová Bystřice. Als ich den Naměstí miru erreiche, bildet sich auf meiner Stirn die erste Kummerfalte. Das Hotel mit dem wunderschönen Namen

»Hotel v České Kanadě« hat für immer seine Pforten geschlossen, ein Second-hand-Laden ist bereits eingezogen. Was ist ein Second-hand-Laden gegen ein Hotel in Tschechisch-Kanada? – Die Landschaft hier wird tatsächlich Česká Kanada bezeichnet, und auch hier sind die Wälder ewig und seelenlos und die Fische springen in den kleinen Fischteichen und das sanfte Moos wächst auf den harten Schieferplatten.

Ich eile weiter zum Bahnhof von Nová Bystřice: die zweite Kummerfalte furcht meine Stirn. Auf den nächsten Zug meiner Lieblingseisenbahn kann ich lange warten. Der fährt…

Aber da muß ich etwas ausholen und um ein wenig Verständnis bitten. Also meine Lieblingseisenbahn ist die Schmalspurbahn von Jindřichův Hradec nach Nová Bystřice, oder auch umgekehrt von Nová Bystřice nach Jindřichův Hradec. Die braucht für die Strecke von 32 Kilometer genau 2 Stunden und zehn Minuten. Da der Zug alle Ortschaften aus Prinzip meidet und mitten durch die Wälder von Česká Kanada fährt, kann man, wenn man einen Steinpilz vom Fenster aus sichtet, locker aus dem Waggon hüpfen, den Pilz mit dem Messer abschneiden und nach einem kurzen Sprint wieder in den Waggon springen. Deshalb fährt diese Bahn praktisch nur mehr in den Sommermonaten – da sind die meisten Schwammerlsucher unterwegs. Als ich vor Jahren so um Pfingsten herum diese wunderbare Reise unternahm, da erkundete ich die Existenz des amtlichen Stationshundes von Blazejov. Bellend kündete er die Ankunft des Zuges an, und bellend signalisierte er die Abfahrt des Zuges. Zweimal mit dem Schwanz wackeln hätte wahrscheinlich zwanzig Minuten Verspätung bedeutet. Über die amtliche Tätigkeit des auf den Gleisen spazierenden Stationsgockels konnte ich damals keine genaue Auskunft erhalten. Und nicht nur ich hab in der Vergangenheit über diesen Zug geschrieben; auch von Josef Fanta, dem Architekt des Prager Hauptbahnhofes, gibt's Aufzeichnungen: »Wenn ich einmal sterben muß, werde ich dem Tod entgegen fahren mit diesem Züglein von Jidřichův Hradec nach Nová Bystřica. Es ist eines von dem Tollsten, das ich je gesehen habe!«

Also gut, wir sind in Nová Bystřice. Verstreute Beobachtungen, nicht frisiert, nicht geglättet, aufgezeichnet nach dem zweiten Bier. Die Hauptstraße heißt Vídeňska, also Wiener Straße. Es gibt noch einen Uhrmacher und einen Glaserer. Auf dem jüdischen Friedhof liegen: Frau Theresia Hirschkron aus Brand, Frau Rosa Podzahradsky aus Langstein, Herr Lazar Popper, tief betrauert von seiner Gattin und seinen Kindern. Für mein Zimmer im »Mnych« zahle ich tausend Kronen. Auf vielen Häusern sehe ich das Schild na prodej, auf deutsch zum Verkauf. Auf den Gräbern der sowjetischen Soldaten rollen sich die Bänder mit der russischen Trikolore. Im »Na boještí« hätte ich für ein Zimmer 350 Kronen zahlen müssen, aber na boještí heißt auf Deutsch »auf dem Schlachtfeld«. Um zehn am Abend war es am Naměstí miru finster und leer. Und welcher Hauptplatz heißt in Österreich »Platz des Friedens«?

Am nächsten Tag weiter durch die Wälder von Česká Kanada. Auf einmal ein Denkmal, und damit's nicht schon wieder heißt, ich erfinde böhmische Dörfer, hab ich das Denkmal fotografiert. »Hier dachte über das Leben nach der 60-jährige Vlasta Bureš, ein heiliger und guter Mensch«.

Nachdenken kann man hier, aber wozu über das Leben, das hier aus den dichten Wäldern und dem feuchten Moos und den harten Steinen besteht, und ich denke mir, bald werden sich die Heidelbeerpflücker auf die Beine machen und am Nachmittag werden sie auf den Parkplätzen der Schnellstraßen stellen und die Beeren an die österreichischen Autofahrer verkaufen.

Kurze Zeit später stehe ich wieder vor einem Dreiländergrenzstein, der in meinen tschechischen Karten als Trojmezi eingezeichnet ist. Freilich drei Länder, und zwar Čechy, also Böhmen, dann Morava, also Mähren, und Österreich, also

Rakousko. Fünf Meter weiter nördlich des Grenzsteines ist ein Rastplatz für Wanderer eingerichtet, ich setze mich auf die Bank und greife wieder nach der Mineralwasserflasche in meinem Rucksack.

Von hier ist's nicht weit nach Mařiž, dem exemplarischen Dorf an der Grenze. Nach der Vertreibung der deutschen Bauern gleich nach dem Krieg erfolgte eine Neubesiedlung durch tschechische und vielleicht auch slowakische Bauern. Kurz danach, ab 1948, lag Mařiž auf einmal innerhalb des Grenzsperrgebietes. Die Bauern wurden zwar nicht per Gesetz ausgewiesen, aber ihr weiteres Verbleiben im Ort wurde durch zahlreiche Schikanen der Behörden zermürbt. Viele votierten für eine Übersiedlung ins Landesinnere; angeblich war 1989 ein einziger Hof noch bewohnt.

Doch ab 1990 begann ein gegenläufiger Prozeß. Einige junge Prager Künstler – Keramiker, Töpferer, Kunsthandwerker – entdeckten den Ort an der Grenze. Sie renovierten mit Liebe zum Detail die ramponierten Gebäude, sie stellten unter Wahrung des Bestandes die alten Höfe wieder her, und sie vermieden die Errichtung protziger Luxusdomizile. Nach der Neuerrichtung des Ortes Mařiž besannen sie sich wieder auf ihre eigentliche Kunst – seither ist die Keramik aus Mařiž – oder der dort hausenden Gruppe Divadlo sklep – so etwas wie ein tschechischer Markenartikel geworden.

Es gibt aber auch eine zweite Gruppe: Die möchte die Österreicher mit Bussen ins Künstlerdorf locken, teure Hotels errichten, und in den Verkaufsstätten große Umsätze erzielen. Welche der beiden Gruppen gewinnen wird?

Noch etwas Berühmtes gibt es in Mařiž: Eine Schloßruine, fast direkt an der Grenze. Der Zugang ist aus Sicherheitsgründen verboten. Das war aber nicht immer so, denn nach dem Zweiten Weltkrieg agierten Schauspieler im Schloß, russische, andere wiederum erzählen französische Kriegsfilme wurden im und beim Schloß gedreht. Der Grund: Das Schloß überstand überraschenderweise den Krieg in gutem Zustand, und nach dem Krieg war es kein Problem, daß die russischen – oder französischen – Regisseure der Kriegsfilme das alte Schloß zusammenschießen ließen, da man für ein intaktes Schloß direkt an der Grenze keine andere Verwendung mehr hatte.

Ich meide die letzten noch vorhandenen Teile des Schlosses und wandere die zwei Kilometer nach Slavonice, in die Bilderstadt Slavonice. Man blättert in einem mittelalterlichen Bilderbuch, wenn man langsam durch die Stadt spaziert, aber davon später. Mein Weg führt mich zuerst zum Bahnhof der Renaissancestadt.

Abb 9: Häuserfront in Slavonice

Auch in Slavonice ist die alte aus der Monarchie stammende Bahnverbindung getrennt worden, auseinandergerissen worden, zerschnitten worden. Geblieben ist der Damm, man kann auf ihm ins Österreichische gehen, und wenn man keine Angst hat vor dem Gebell des Hundes aus dem alten Mühlengebäude, steht man nach fünfhundert Meter in Fratres. In Fratres ist die Brücke abgetragen worden, man muß also die Böschung runterkraxeln und drüben wieder raufkraxeln, und jetzt kommt die Belohnung: Auf dem Damm drüben gibt's noch die Schiene, schon verwachsen mit Gestrüpp und Gestrauch, aber die Schiene gibt's noch, und sie führt über Waldkirchen und Dobersberg nach Waidhofen an der Thaya. Die ÖBB betreiben den Personenverkehr nur noch bis Waidhofen, nach dem Krieg fuhren die Züge erst bis Fratres, dann nur mehr nach Waldkirchen, und jetzt eben bis Waidhofen. Einige Aktivisten wie der Eisenbahner Egon Schmidt, auch die Bürgermeister der Orte an der »Thayatalbahn«, wollen die kurze Lücke schließen und den Verkehr nach Slavonice auf's Gleis bringen. Auch die ČD, die Tschechischen Bahnen, deponierten stets ihr Interesse. Sie wollten die Strecke von Slavonice nach Waidhofen auf eigene Kosten restaurieren und in Folge auch selbst den Betrieb führen, die Flügelbahn nach Waidhofen sozusagen ans tschechische Netz anbinden. Sie erstellten einen genauen Kostenvoranschlag, den ich übrigens zu Hause irgendwo in einer Lade abgelegt habe. Aber ich werde den Kostenvoranschlag der ČD nicht mehr suchen müssen. Denn die Reaktion der ÖBB lautete stets: Nein danke.

Also ist in Slavonice die Endstation für die tschechischen Züge. Und in Waidhofen ist – zur Zeit noch – die Endstation für die österreichischen Züge. Damals in der Monarchie führte die Postroute von Wien nach Prag über Slavonice – die Reste der damaligen Poststation kann man heute noch besichtigen.

Vom Bahnhof schlendere ich zum Naměstí miru und von dort in die Besidka auf ein Bier[1]. Weil ich vorher schrieb: Bilderbuchstadt Slavonice. Die zahlreichen Renaissancehäuser sind mit zahlreichen Sgraffitos verziert. Man erkennt Bilder von Herrschenden, Motive aus der lokalen Geschichte, Erzählungen aus der Bibel. Und man bemerkt die ausgeformten Giebel auf den Dächern, die in Wirklichkeit gar nicht zu den dahinter errichteten Dächern gehören, sondern nur als Ornamentik, als Zierrat dienen. Sollte man die abgezählten 24 Renaissance-

Bürgerhäuser betreten können: Auch in den Räumen, im Gewölbe die Fresken, teilweise zerstört, teilweise restauriert, mit Bildern vornehmlich aus Geschichte und Bibel.

Also ich sitz in der Besidka und trinke das erste Bier. In der Besidka kann man die Werke der Keramiker aus Maříž betrachten. Da steht das Knochengerüst, die Klapperstange Tod, und in der Rechten hält der Tod einen Spiegel, damit der Betrachter den Unterschied erkennt. Leider steht der Tod auf dem Gang zur Toilette; man muß also aufs Klo gehen, um des Todes ansichtig zu werden. Ich hätte die Klapperstange gleich neben die Eingangstür gestellt, damit es jeder weiß: Hier in der Besidka hält der Tod hält statt der Sichel den Spiegel in der Hand.

Nach meinem zweiten Bier in der Besidka kehre ich auf den Naměstí miru zurück – und treffe auf einmal auf Christine Helmstedt aus Thuma bei Karlstein. Sie fährt gerade in die Baumühle an der mährischen Thaya – und weil sie mich zur Mitfahrt einlädt, ist mein Slavonice für heute geschlossen und ein neuer Weg bahnt sich an.

Anmerkungen

1 Eine kurze Anektode aus den ehemaligen Grenzwanderungen des Autors. Mit Martin Anibas bin ich einmal von Waldkirchen aus über die Eisenbahntrasse nach Slavonice in die Besidka gewandert. Oder besser gesagt gehüpft, weil man über die Sprossen der Bahn nur hüpfen kann. Nach einigen Bieren in der Besidka ersuchten wir telefonisch österreichische Freunde um Abschlepphilfe, denn der Grenzübergang sperrte damals um 20 Uhr. Um halb acht waren Martin und ich schon etwas nervös und überlegten, entweder die Nacht in Slavonice zu verbringen oder schwarz über die Grenze zu laufen. Zehn vor acht holte uns der Abschleppdienst ab.

Entlang der Thaya

Diesmal mit einer Sechsermannschaft, geführt von der Malerin Christine Helmstedt, mit dabei auch Andreas Ortag, der vor einigen Jahren mit einer pinhole-Kamera die Fotos zu meinem Lyrikband über die Thaya fabrizierte. Wir starten in der Baumühle in Unterpertolz und wollen uns längs der Mährischen Thaya nach Norden durchschlagen. Wanderwege gibt es hier nicht, aber Christine Helmstedt hat auf beiden Seiten der Thaya nach gehbaren Routen gesucht, hat die Reste der Mühlen fotografiert, hat die Stimmungen an den Ufern gemalt.

Abb 10: Von der Baumühle zum Schloß Pisečné

Bald erreichen wir Pisečné. In Pisečné gibt es ein zerfallenes Schloß, auf dem Rauchfang nistet das Storchenpaar, weiters einen jüdischen Friedhof und zwei Wirtshäuser. Wir treten in den Innenhof des Schlosses. In einem offenbar restaurierten Trakt ist die Post untergebracht, die Postbeamtin fragt mich, was ich denn wünsche, ich antworte, wir wollen essen gehen, wissen aber nicht in welchem Restaurant, die Postbeamtin erklärt, daß wir nach rechts hinüber ins Beisl »U zamku« gehen sollen. Die Sechsergruppe folgt brav ihrem Rat und lagert an einem Tisch in Freien, ich gehe ins Lokal hinein und frage auf Tschechisch. »Gibt es etwas zum Essen?« – Darauf die Kellnerin: »Ja, parky und Hermelin«. – Gut, ich bestelle sechs parky, also sechs Würstel. Nach fünfzehn Minuten taucht die Kellerin wieder auf. »Wollen sie Senf oder ketch-up?« Die Sache wird kompliziert, weil zwei wollen ketch-up, vier hingegen Senf. Wieder zehn Minuten später stellt sie einen Teller mit einer Wurst ohne Krümmung, also eine eingeschweißte Supermarkt-wurst, sowie ein Brot auf unseren Tisch. Zwei Minuten später bringt sie den zweiten Teller, dann den dritten. Nach etwa zehn Minuten haben alle ihre Wurst in Griffweite, wobei tatsächlich zweimal ketch-up und viermal Senf neben der Wurst placiert wurde. In der Zwischenzeit hält eine Rad fahrende Frauengruppe aus Hodonín vor dem Lokal. »Gibt es da etwas zum Essen?« – »Ja«, antworte ich. »Parky und Hermelin«. Die Radlerinnen debattieren eine Weile, dann setzen sie sich um einen Gartentisch und bestellen Bier. Als die Kellnerin ihnen der Reihe nach die Bierkrügel auf den Tisch gestellt hat, sage ich sehr freundlich zu ihr: »Und jetzt für uns bitte sechsmal Hermelin«. Die Kellnerin fährt mit der Hand über ihre schwit-zende Stirn. Daß wir zusätzlich noch sechs Biere wollen, traue ich mir im Augenblick gar nicht zu sagen.

Zurück zur Baumühle längs der Mährischen Thaya, zurück durch gemähte und ungemähte Felder, durch Stauden mit dich-ten Brennnesseln und Gärten mit Obstbäumen. Ein Vorteil des unwegsamen Geländes, in dem sich kaum irgendein Wanderer verirrt: Wir finden Parasole und Pilze. Am Abend gibt es unter

Anleitung des Chefkochs Andreas Ortag zuerst Schwammerl-
omelette und dann panierte Pilze.

Abb 11: Künstlerisches Relief im Schloß von Pisečné

Gestärkt breche ich am nächsten Morgen um sechs in der Früh
auf. Unterpertholz, Schaditz, Luden. Jahrelang gab es keine
Kontakte zwischen Nord und Süd, wobei die periphere Lage der
Dörfer im Niederösterreichischen der Lage der Dörfer im
Mährischen ähnelte. Jetzt führt auf einmal eine Straße von
Schaditz nach Hluboká. Wer soll diese Straße benutzen? Rehe,
Hasen, Rebhühner, ich scheuche sie um halb sieben auf, und im
Schrecken nehmen sie Reißaus. Wer soll außerdem diese Straße
benutzen? Links sieht man gerade bis zur nächsten Kuppe,
rechts bis zur nächsten Kuppe, vorne sieht man vor der nächsten
Kuppe noch eine unwesentlich größere Kuppe. Rundherum ist
der Horizont auf engstem Raum geschlossen. Wer hier wohnt,
hat schlicht und einfach keine Aussichten. Ich mag mir gar nicht
den Herbst vorstellen, wenn die Nebelschwaden einfallen und

die Wolkenfetzen in die Senken kriechen und dicht und düster sich mit dem Rauch aus den Rauchfängen mischen.

Nach Luden habe ich Mühe, den alten přechod nach Vratěnin zu finden, ich orientiere mich an den Bäumen der Allee, der Weg ist vollkommen zugewachsen und verwildert. Erst auf mährischer Seite kann ich Konturen eines Weges wahrnehmen.

Vratěnin: Das zentrale potraviny hat für immer seine Pforten geschlossen, ein zweites potraviny weiter draußen hat noch offen. Die Häuser sind äußerlich recht herausgeputzt, die Gärten sind gepflegt, es kugelt sozusagen nichts »herum«. Aber mit dieser aufgeräumten Herausgeputztheit scheint das innere Leben des Dorfes verschwunden zu sein, ich sehe am Vormittag keinen Menschen auf der Straße, es gibt keinen Frisör, keinen Bäcker, das Wirtshaus sperrt erst gegen Mittag auf.

Vier Kilometer weiter liegt Uherčice, mein mährisches Dorfidyll. Ich bin in früheren Jahren schon oft hergeradelt, um mich gemütlich an das Ufer des Teiches zu setzen und melancholisch auf das verfallende Schloß zu blicken. Vor mir – so die Bilder meiner Erinnerung – der rybník, das gepflasterte Wegerl am Ufer, drei vier Stufen führen zum Haustor hinauf, auf einer Stufe liegt eine Spielzeugpuppe, sie hat aber nur eine Hand, weil ihr die andere herausgedreht wurde, in des Teiches Mitte eine Insel, ein rundlicher Bub rudert keuchend und stöhnend in einem wackeligen Holzboot zur Insel, dort öffnet er das mitgenommene Bier und macht ein paar kräftige Schlucke, und im Hintergrund verfällt langsam das Schloß.

Heute verfällt das Schloß nicht mehr, es wird renoviert, auf den Straßen und Gässchen schieben Mütter ihre Kinderwägen, Hausfrauen mit gefüllten Einkaufstaschen tratschen mit Hausfrauen mit leeren Einkaufstaschen, und ein Pensionist füttert die Gänse im rybník. Die einzige Katastrophe: das Wirtshaus in einem wunderbaren halb verfallenen einstöckigen kakanischen Gebäude hat nicht geöffnet. Und ich kann die Hungerattacken in meinem Magen nicht mehr besänftigen. Nach der Konsultation sowohl des Magens als auch der Landkarte beschließe ich, mangels anderer Möglichkeiten zurück nach Österreich zu eilen und auf schnellstem Weg in Drosendorf ein Wirtshaus zu suchen.

Der Grenzübergang Vratěnin-Oberthürnau hat auch schon bessere Zeiten gesehen. Oder schlechtere, wie man's nimmt. Bis 1990 gab es hier überhaupt keine Möglichkeit zur Überquerung der Grenze. Dann wurden auf beiden Seiten riesige komplex verschachtelte Gebäude errichtet, mit weit sich über die Straße vorschiebenden Dächern und verschiedenen Büros für die Polizisten und die Finanzbeamten. Nach deren Errichtung versuchte man auf österreichischer Seite zehn Jahre lang, den Verkehrsfluß nur kontrolliert, nur verzögert, nur sozusagen in Grenzen durchzulassen. Tschechische Freunde erzählten, daß schon der Anblick eines Handwerkerkoffers oder einer Arbeitskleidung im Auto reichte, um den Verdacht des Grenzpolizisten zu erhärten. »Der Behm kommt zu uns, um zu arbeiten, ein Behm hat aber bei uns Arbeitsverbot, also will der Behm bei uns schwarz arbeiten. So lassen wir ihn sicherheitshalber gar nicht rein.«

Jetzt gibt es überhaupt keine Kontrollen auf der Grenze, und was ist die Folge: Es fährt überhaupt niemand von einem Land ins andere, praktisch eine Wiederholung der Situation vor 1989. Allerdings stehen nunmehr ein paar überdimensionierte Gebäude mit sich vorschiebenden Dächern alleine und verlassen in der Grenzlandschaft, dazu sechs sieben lange Asphaltspuren für Lastler und Personenautos, und auf diesem irrationalem Terrain gibt's aber keine Autos und keine Lastler und keine Grenzpolizisten, einzig und allein einen einsamen Wanderer mit einem Rucksack, und das bin ich.

Und ich blicke mit Staunen auf eine Tafel, die dem ausländischen Einreisenden ausschließlich in deutscher Sprache kundgibt, wie viele ATS – ich wiederhole: ATS – er für verschiedene

Autobahnvignetten zu bezahlen hat. Und sodann erspähe ich ein liebenswertes Schild: »Waldviertel – Wohlviertel«. Und ich stelle mir jetzt vor, wie der gutwillige Ausländer behände sein Wörterbuch nimmt, eilig herumblättert, aber dort keine Auskunft über die Währung ATS findet; zusätzlich scheitert er unter W beim Eruieren des Wortes Wohlviertel. »Jetzt gibt's nur zwei Möglichkeiten«, denkt sich unser Ausländer, »entweder ist mein Wörterbuch falsch, oder die verwenden absichtlich eine Sprache, die ein Ausländer nicht versteht, weil man nicht haben will, daß er sich in Österreich wohl fühlt.«

Schlusssatz und Entwarnung: Wer in die tschechische Republik einreist, erhält die wichtigsten Informationen – über Vignettenpflicht, Geschwindigkeitsbegrenzungen und derlei mehr – dreisprachig: tschechisch, deutsch und englisch.

Jetzt zu Fuß weiter bis nach Drosendorf, und dorten sofort ins erste Wirtshaus, und jetzten einen halben Liter Saft und einen ganzen Braten. Und dann zu einem kurzweiligen Verweiler bei den Müller-Funks.

Überraschenderweise erzählen die beiden, daß sie im heurigen Sommer eine Weitwanderung absolvierten. Von Mariazell über den Radlpaß bis nach Ljubljana. Eine Nord-Süd-Transversale! Und wieso ausgerechnet heuer? – »Wer weiß, wie lange noch das Knie hält«, so Wolfgang. »Deines oder meines?« fragt Sabine.

Ich rufe noch in der Hammerschmiede in Hardegg an. »Wann wollens kommen? Am Mittwoch?« – Ich bejahe. »Das ist gut, weil am Donnerstag hab ich kein Zimmer mehr frei«, soweit die freundliche Wirtin, Frau Hauser. »Und rufens bitte an, wenns doch nicht kommen sollten!«

Von Drosendorf gehe ich auf einem alten Pfad über die Grenze, um nach Šavov zu gelangen. Šavov: Nach Pisečné der nächste jüdische Friedhof. Im Rücken des Dorfes ein Abhang zu einem rybnik. Welch Arrangement auf diesem sanften Abhang: Eine Unzahl von Grabsteinen, ohne den Schutz einer Mauer, ohne erkennbare Reihen und Linien, viele der Grabsteine stek-ken schief in der Erde, die Inschriften sind größtenteils schon verwittert und dem Verfall preisgegeben. Ich nehme den Rucksack herunter, bücke mich ein wenig und leuchte mit der Taschenlampe. »Hat der Tod uns auch geschieden/In unserm Herzen lebst du fort./Treuer Gatte ruh in Frieden/Bis zum Wiedersehen dort«. Und da es wahrscheinlich niemand gibt, der sie in sein Gedenken einschließt, der sie in Erinnerung behält, möchte ich symbolisch vier Namen erwähnen, die ich mit Mühe entziffern kann: Wilhelm Sagl, Cäcilie Sagl, Ignaz Fürst, Bernhard Herzog, alle gestorben in der Zwischenkriegszeit.

Abb 12: Einsame Grenztafel im Niemandsland

Für manche der Juden von Šavov und Umgebung war es besser, ihr Leben auf diesem Friedhof in angemessener Ruhe in einem Sarg zu beschließen. Nach dem Einmarsch der Deutschen 1938 wurden die Juden in die verbliebene »Resttschechei« ausgewiesen, sie hatten ein paar Stunden Zeit, um ein paar Kilogramm

Kramuri zu packen, nach dem Einmarsch der Deutschen in Prag und der Errichtung des Protektorates wurden sie nach Terezín geschickt. Dort konnten sie ihr Leben nicht mehr in einem Grab beschließen.

Noch etwas zu Šavov: Der Autor Ludwig Winder wurde hier geboren. Wer? – Ludwig Winder, geboren am 7. Feber 1889 in Schaffa, heute Šafov. Eine der meist gelesenen Autoren der ersten tschechoslowakischen Republik, schon früh bekannt durch seine Romane »Jüdische Orgel« oder »Der Thronfolger«, der übrigens in Österreich verboten wurde, weiters durch seine Theaterstücke wie »Die Frau ohne Eigenschaften«, die Robert Musil zu seiner bekannten 1000seitigen Entgegnung anregte. Ab etwa 1928 interessierte sich die tscheoslowakische Öffentlichkeit für seine Texte, manche Büche erschienen erst auf Tschechisch und dann auf Deutsch, im Jahr 1934 erhielt Ludwig Winder den Staatspreis der Tschechoslowakischen Republik. Nach dem Einmarsch der Nazis am 29. Juni 1939 floh Ludwig Winder mit seiner Frau und der älteren Tochter auf abenteuerlichem Weg nach London, die jüngere Tochter und die Verwandten seiner Frau wurden von den Nazis vergast. Der Autor starb relativ jung am 16. Juni 1946 in Baldock in England. Diagnose: schweres Herzleiden.

Ludwig Winder hat das Pech, in einer doppelten Falle zu landen. Für die Tschechen war er ein Deutscher, also vergiß ihn. Und für die das Geschichtsbild der Grenzregionen bis heute bestimmenden Vertreter der Sudetendeutschen war er ein Linker und noch dazu ein Jude, also vergiß ihn doppelt. Hier, in seinem Geburtsort, in Šafov möchte ich sein komplettes Verschwinden aus der Literaturgeschichte und aus der Erinnerung ein bisschen kompensieren und zünde mir für Ludwig Winder eine Zigarette an.

Von Šafov weiter ins Niederösterreichische. Heute ist der Tag der Gräber. Schon wieder so ein obskures Grab, irgendwo in der Gegend von Felling. Steineinfassung, gestreuter Kies, ein großes

Kreuz mit dem obligatorischen Stahlhelm, in den Blumenkisterln haltbare und resistente Stoffblumen. Auf dem dominanten Grabstein: »Hier ruht ein unbekannter Soldat gefallen im Mai 1945«. Im Mai 1945? Für wen fiel dieser unbekannte Soldat? Für das Deutsche Reich? Sicher nicht für Österreich, das sollte ja erst am 8. Mai 1945 entstehen. Und sicher nicht für die Befreiung Österreichs, dafür sorgte ja die Rote Armee, und Soldaten der Roten Armee hätten hier sicher keinen Grabstein erhalten. Warum fiel also bei Felling irgendwann im Mai ein unbekannter Soldat? Ich werde es nie erfahren. Denn ich erspähe noch eine zweite Inschrift: »Umgebettet 1978 Soldatenfriedhof Retz«.

Weiter nach Hardegg in die Hammermühle zu Frau Hauser. Sie schaukelt im Moment alleine das Wirtshaus, sie kocht, serviert und paßt auf die kleine Enkelin auf. Das mit den jungen Leuten ist ein Problem, die verlassen Hardegg wegen der Arbeit, und ganz junge, also Schulkinder, gibt es fast überhaupt keine mehr. Zwei oder drei fahren mit einem kleinen Schulbus nach Retz.

Ja früher, da gabs ein noch paar Bäcker, ein paar Fleischer, ein paar Wirtshäuser, und von beiden Seiten der Thaya kamen die Leute nach Hardegg zum Einkaufen, von der mährischen Seite und von der niederösterreichischen. Und aus Wien fuhren im Sommer die Urlauber nach Hardegg, wegen der sicheren Ruhelage und wegen des erfrischenden Bades in der Thaya. Ärzte, Militärs, höhere Beamte. Aber dann wurde die Grenze dichtgemacht, und von drüben kam niemand mehr, und auch von der österreichischen Seite wurden es immer weniger, auch da gab es einen imaginären Schnitt, der die Stadt da unten an der Thaya abriß von den Dörfern im sonnigen Weinviertel. Noch im Jahr 1964, genauer am 28. November, schrieb die »Presse«: »In der schönen Jahreszeit wird die sterbende Stadt lebendig, die 300 für Urlauber bereitgestellten Betten sind voll belegt, denn Hardegg gilt als idyllische Sommerfrische und erholsamer

Herbstaufenthalt, als Dorado der Sportfischer, welche die Forellen der Thaya wohl zu schätzen wissen.«

Etwa zur selben Zeit besuchten meine Eltern mit mir öfters diese kleine Grenzstadt an der Thaya, wobei das Verdikt »kleinste Stadt Österreichs« sich schon als hinlänglicher Grund für den Besuch erwies. Der zweite Grund für die Autofahrt in die Stadt an der Grenze war die Besichtigung der Brücke. Sie demonstrierte optisch die Trennlinie, die den Kontinent teilte, sie galt als Metapher für das »Ende der Welt«, sie unterstrich: »Und dann kommt gar nichts mehr«.

Die Brücke bestand nur mehr zur Hälfte, nämlich auf österreichischem Terrain, und auf dieser Hälfte wurden nur notdürftige Pflegearbeiten verrichtet. Auf tschechoslowakischer Seite war die Brücke abgerissen. Und drüben gleich neben der Brücke stand das Haus mit den tschechoslowakischen Grenztruppen. Habe ich hinübergewunken? Habe ich ahoj gebrüllt? Oder At' žije Nedomansky[1] gerufen? – Ich weiß es nicht mehr.

Und mein Vater? Hat er sich überlegt, wie er sich entwickelt hätte, wäre er jetzt auf der anderen Seite gestanden? Wenn ihm 1948 nicht die Flucht nach Wien geglückt wäre?

Und was hat sich seither geändert: 1990 wurde die neue Brücke errichtet, man kann aber nur zu Fuß hinüber, weil die Brücke Bestandteil des Nationalparkes ist, und im Nationalpark darf man nicht mit dem Auto fahren. Und wohin soll man gehen, wenn man hinübergeht, eine Runde im Wald kann man gehen und dann geht's wieder zurück. Der Brückenwirt im niederösterreichischen hat von Donnerstag bis Sonntag offen, das alte Zollhaus im Mährischen hat für immer geschlossen, die Verwaltung des Nationalparks plant, das Gebäude zu einem Jugendzentrum umbauen.

Ich gehe von der Brücke ein Stück flußaufwärts und in den Ort hinein. Einen einzigen Betrieb gibt es noch in Hardegg: eine Bäckerei. Also schnell hinein in den Bäckerladen. Es kommt die

Bäckerin aus einem Nebenraum. »Sie wünschen?« – Ich: »Haben Sie auch ein Bier?« – Die Bäckerin: »No freilich, Dose oder Flasche? – Ich: »Dann lieber zwei Flaschen«. – Zwei Stunden besuche ich wieder die Bäckerei: »Haben Sie auch Zündhölzer?« – »Freilich, wir haben aber auch Feuerzeuge!« – »Gut, dann nehme ich ein Feuerzeug!« – »Suchen Sie aus, jedes kostet einen Euro!«

In der Zwischenzeit wandle ich am Ufer der Thaya weiter flußaufwärts, vorbei beim ehemaligen Flußbad, dessen Kabinen im alten Fortifikationsturm untergebracht waren, bis ich zu einem Bankerl komme und die langsam und bedächtig strömende Thaya beobachte. Die Thaya hat mich trotz ihres faden und ereignislosen Charakters immer schon interessiert. Da ihr Wasser aus einem »deutschen« und einem »mährischen« Zufluß gespeist wird[2], rinnt sie als transnationale Mischung, als »deutsch«-mährische Gemeinschaftsproduktion bis zur Mündung in die rein mährische March. Ihr Verlauf bildet jedoch mehrere eigenwillige und sture Kehren und Kurven, sodaß die Thaya öfters die Grenze wechselt, und gelegentlich schafft sie es, hartnäckig selber die Grenze zu bilden. Durch diese fast peripathetischen Richtungswechsel hat man den Eindruck, die Thaya windet sich – ob vor Schmerzen oder vor Freude. Oft habe ich überlegt, ob das Hölzerl, das ich im Waldviertler Dobersberg in die Thaya werfe, überhaupt bis zur March schwimmt oder in einer der Windungen für immer hängen bleibt.

Da taucht neben mir ein älterer Herr auf dem Fahrrad auf und unterbricht meine peripathetischen Thaya-Gedanken. »Da war eine zweite Brücke über die Thaya«, deutet er auf den Fluß. »Schaun Sie, die Pylonen stehen noch da.« – »Und wohin hat die Brücke geführt?« – »Die Bauern haben drüben die Felder gehabt, und unterm Hitler ist die zweite Brücke gebaut worden, damit sie hinüberkommen.« – »Und wie sind die Bauern vorher hinübergekommen?« – »Da hats eine Furt gegeben, aber da war ein

Problem, wenn nämlich die in der Staustufe von Vranov das Wasser abgelassen haben, dann hat man bei der Furt nicht mehr das Wasser durchqueren können.« – »Und was ist mit den Feldern passiert, als die Grenze dicht geworden ist?« – »Die sind den Bauern entschädigt worden, allerdings weit unter ihren Wert.« – Ich schaue hinüber. Die Felder sind verfallen, auf den nicht mehr kultivierten Flächen gedeihen Bäume und Gestrüpp. Die moosbewachsenen Pylonen halten noch immer dem Druck der Thaya stand.

Am Abend sitze ich in der Hammerschmiede, Großmutter Hauser kocht ein Schnitzerl und serviert mir ein Bier, außer mir sind noch drei Gäste im Lokal. Hardegg, 80 Einwohner, Tendenz sinkend. Eine Bäckerin, ein Wirtshaus, eine Brücke. Das Gemeindeamt liegt in der Katatralgemeinde Pleissing. Bei den letzten Wahlen erhielt in der Großgemeinde Hardegg die ÖVP 14 Mandate, die SPÖ 5 Mandate. Der Sonntagsgottesdienst beginnt um 10 Uhr. Hier weiß man noch, wo der Bartl den Most holt.

Nach dem zweiten Bier lese ich in der Hammerschmiede die Horner Bezirkszeitung. Die schwarzen Politiker und auch die paar roten Politiker, die in der schwarzen Bezirkszeitung weiter hinten vorkommen – die Roten sind zum Großteil Polizisten –, beklagen die fehlende Sicherheit in den Grenzregionen, jammern über die Diebstähle und Einbrüche und fordern mehr Polizisten und Überwachung. Interessanterweise berichtete genau einen Tag davor, also am 26. September 2008, der Pražský rozhlas/Prager Rundfunk: In Slavonice gaben österreichische und tschechische Polizisten eine gemeinsame Pressekonferenz. Seit dem Wegfall der Schengengrenze sei die Kriminalität gesunken, es gäbe viel weniger Diebstähle, die Leute in den Grenzregionen könnten sicherer leben. Und jetzt frage ich, bitte, wieso spricht kein österreichischer Politiker zu seinen Leuten in den Grenzgebieten: Liebe Leute, es geht euch besser hier, seit die

Grenzen offen sind, die Kriminalität sinkt, es gibt weniger Einbrüche, liebe Leute, die Grenzen sind offen, so nutzt doch endlich eure Chancen! – Nein, sie sagens nicht, und ein Gespenst geht um in Europa, nämlich die Angst vor dem Wegfall der Grenze, die umgekehrte Limenophobie, und ich muß mir noch ein drittes Bier bestellen, um das Gespenst zu verscheuchen.

Am nächsten Morgen hinüber über die Thayabrücke – wie immer vollkommen alleine – und hinauf durch die dichten Wälder die paar Kilometer in die nächste Ortschaft Čižov. Vorher noch ein Abstecher auf die vyhlidka, auf die Warte, von der man auf Hardegg und auf die Thaya hinunterblicken kann. Den Panoramablick gibt's seit 1876, damals errichtete der »ÖTK Zweigstelle Znaim« hier eine Warte. Für die schnelle Wiedererrichtung im Jahre 1990 hat Walter Wenzel vom ÖTK gesorgt. Da er den Großteil der Kosten aus eigenen Mitteln finanziert hat, steht auf der hölzernen Warte in deutscher Sprache: »erbaut vom österreichischen Touristenklub mit Unterstützung des Herrn Walter Wenzel«.

Das nächste Dorf Čižov liegt immerhin fünf Kilometer von der Thayabrücke entfernt, fast eine Stunde geh ich bergauf durch dichten Wald, bis ich die ersten Häuser erblicke. Im ersten Gebäude – dem ehemaligen Zollhaus – hat die Parkverwaltung ein Besucherzentrum errichtet. Ich komm hin – kein Mensch weit und breit, das Besucherzentrum hat um halb zehn in der Früh noch geschlossen. Den Garten – so steht's sogar auf einer Hinweistafel – den darf ich mir umsonst anschaun. Direkt gegenüber dem alten Zollhaus wurde der »Eiserne Vorhang« nachgestellt. Ja, der »Eiserne Vorhang«, oder die »železná opona«, wobei »opona« für einen Theatervorhang steht und nicht für einen Vorhang des Küchenfensters. Ein Wachtturm, der Zaun, und die genietechnischen Versperrungen. Ja , so in der deutschen Übersetzung, die genietechnischen Versperrungen. Auf der tschechischen Hinweistafel steht zwar ženijně – technické zatarasy, also pionier-technische Absperrungen, aber wo ist der Unterschied[3], wenn ženijně der Ausdruck für »Pionier« ist und im tschechischen so ausgesprochen wird wie im deutschen das »genial«.

Abb 13: Der nachgebaute Wachturm

Und jetzt zum Šobes. Ich kenne die Fotos des Weinberges, der als der beste Weinberg weit&breit gilt, seine Südhänge liegen in einer engen Schlinge des Thaya, sanft stufen sich die Terrassen von den zwei Wiesen am Thaya-Ufer die hundert Meter zum Gipfel hinauf. Freilich, mit der Ankunft am Šobes passiert etwas. Ich verlasse zusagen die Waldviertler Welt, wo der Horizont eng ist, die Kuppen meine Sicht versperren und die Dörfer in den sanften Mulden verkrochen sind, und wenn der Herbst kommt, dann sickern die feuchten Nebelfladen in die Mulden und die Sonne bricht nur mehr verhalten und zögerlich durch, also ich verlasse diese Welt und ich betrete das Weinviertel. Mir geht es fast wie dem Triestreisenden des neunzehnten Jahrhunderts, der beim Obilisken in Opčina auf dem Karstklippen oberhalb von Triest das erste Mal das Meer erblickte, erst einmal »Juchu« rief und dann eine Viertelstunde dort voll Staunen verweilte, weil er die Weite des Meeres bewundern mußte. Und ich steh auf dem Šobes[4], und ich blicke hinunter auf die vielen Terrassen des Hügels, unten im Tal windet sich die Thaya, und drüben auf der anderen Seite des Tales ziehen die Reihen der Weinstöcke weiter, bis sie sich in den Weiten des Weinviertels verlieren. Und ich blicke eine Viertelstunde über die Weinstöcke, und sanft und lieblich durchdringen mich die Eindrücke, bis ich eingefangen bin in mediterranen Stimmungen.

Aber beim Weitergehn auf dem Šobes werden die mediterranen Stimmungen bald getrübt, wobei die Trübe weder vom Wein kommt, noch vom langsam einsetzenden Herbst, vom Wein kann die Trübe schon gar nicht kommen, weil das stanek, also das »Standl« auf dem Šobes, bereits geschlossen hat. Also kein Tröpferl, klein Glaserl, kein Flascherl, nur ein paar sonnige Blicke durch die Reihen der Weingärten. Und dann, wie es so schön heißt, mit nicht benetzter Zunge und trockenen Gaumens hinunter zur Hängebrücke und auf der anderen Seite hinauf nach Hnanice.

Nein, ich will mir nicht die Excalibur-City des Falco-Freundes Ronnie Seunig geben. Ronnie Seunig, einer der wenigen Grenzgewinnler, der mit seinem obskuren Arrangement diverser Konsumtempel und billiger Losungen wie »Zwitschern wie die Schluckspechte« und »Willkommen im Einkaufsmärchen« vor allem Autobusse mit gierigen Wiener Frühpensionisten anlockt. Wobei meine These erhärtet wird: Zusammenarbeit gibt's nur dort, wo die Tschechen hackeln und wo für die Österreicher das Fressen und das Saufen und die Massage billiger ist.

Als Limenologe mit ein paar einschlägigen Erfahrungen ist mir klar, daß solch ein Konzept nur auf Hauptverkchrsachsen aufgehen kann, im konkreten Fall auf der Hauptachse Wien-Znaim, und die obskuren Shoping-Cities sind die Kollateralschäden der neuen grenzüberschreitenden Schnellstraßen-verbindungen.

Also keine Excalibur-City, weiter in den Osten, hinein in die mährische Weinbaugemeinde Šatov. Leider ist zumindest in Znojemsko der selbständige Weinbauer, der eigenhändig sein Geschäft verrichtet, größtenteils ausgestorben. Mit der ab 1948 einsetzenden Kollektivierung der Landwirtschaft und der Errichtung von Großgenossenschaften gingen die zumeist in der Familie weitergegebenen Fertigkeiten eines Weinbauers – von der Hangpflege bis zur Kellertechnik – verloren. Und nun müßte eine Generation Null starten.

Dementsprechend ist in Šatov auch das Kellergasserl verfal-len, und das Interesse von Einzelpersonen, die ungenützten Keller zu renovieren, hält sich in Grenzen.

Hergerichtet ist nur der Malovaný sklep. Der Durstende kann im Malovaný sklep durch die Finger schaun, und was wird er dabei sehen: Wandmalereien an den Sandsteinwänden. Diese Malerein bildeten das Lebenswerk eines Herrn Maximillian Appeltauer, der in diesem Keller von 1930 bis 1968 die Wände bemalte, und als er 1945 aus dem Krieg nur mehr mit einer Hand nach Hause kam, malte er nach dem Krieg mit einer Hand wei-ter, er malte mit in Kalkmich aufgelösten Farbpigmenten und auf dem Kopf trug er einen breitkrempigen Hut und in der Krempe leuchteten die Kerzen, die den dunklen Keller erhellten. Sein önologisches Pandämonium stammt aus der naiven Volkskunst, man sieht mährische Zwerge neben Meeresjungfrauen und nichtmährischen alpinen Phantasielandschaften. Außerdem schuf er fünf zum Teil versteckte Separees für geschlossene Gesellschaften. Vier Jahre nach der Fertigstellung seines Lebens-werkes starb Herr Maximillian Appeltauer im Jahr 1972.

Hergerichtet ist in Šatov weiters der Moravský sklipek der Genossenschaft »Znovin«. Es gehört zum guten Ton, daß die Geschäftsleute und die Künstler der Umgebung für ihre

Weinvorräte dort ihre »Boxen« mieten. Und es gehört zum guten Ton, daß die österreichischen Autobusse hier parken und die Reisenden erst im Restaurant speisen und trinken und sodann große »packages« zu nicht gerade kleinen Preisen kaufen.

Aber ich möchte meine Zeit in Šatov antizyklisch verbringen. Also kein Tröpferl, kein Glaserl, kein Flascherl. Nein, ich verzichte in der Weinstadt auf den Wein und besichtige einen der beiden Bunker.

Wie ein stählernes vielfüßiges Getier hockt er trutzig und vielschrötig am Ackerboden, als Überbleibsel einer Zeit, in der die Grenze mit Stahl und Blut geschrieben wurde. Das vielfüßige Stahltier wurde mit bunten Farben popig bemalt und mit der Bemalung hat man es geschafft, ihm den markanten Ernst zu nehmen. Vielleicht wird man dereinst über den Bunker lachen können.

Damals hat freilich keiner gelacht. Als die Tschechoslowakei in den Dreißigerjahren des vorigen Jahrhunderts die einzige Demokratie in Mitteleuropa war, allseits umgeben von autoritär geführten Staaten, wurden deren Bürger von Hitlers Drohungen geschreckt: Er werde die hussitischen Tschechen vernichten, er werde dem Tschechentum ein Ende setzen, er werde Prag von der Luft aus bombardieren. Mit Hilfe des Bündnispartners Frankreich baute man an der Grenze zu Deutschland und zu Österreich eine geschlossene Kette von Bunkern. Nach dem Anschluß Österreichs an das Deutsche Reich rechnete man mit einem massiven Angriff vom Weinviertel aus in Richtung Südmähren, in Richtung Znaim. Also wurden genau in diesem Bereich die Verteidigungsstellungen verstärkt.

Natürlich wußten die tschechischen Generäle, daß sie gegen die Übermacht der Nazis nichts ausrichten konnten. Indes ihr Plan lautete: Die höchst motivierten und best ausgebildeten Soldaten in ihren Bunkerstellungen halten die Deutsche Wehrmacht ein zwei Wochen auf, in der Zwischenzeit werden die Bündnissysteme aktiviert und Frankreich und Großbritannien erklären den Nazis den Krieg.[5]

Aber dann kam alles ganz anders. Die Sudetendeutschen wollten in großer Mehrheit »heim ins Reich«, also den Anschluß ans Deutsche Reich. Sie terrorisierten die Angehörigen der tschechischen Minderheit in den deutsch besiedelten Gebieten. Dann wurde am 30. September 1938 der völkerrechtswidrige »Münchner Vertrag« signiert, den die tschechischen Historiker mit Recht als Münchner Diktat bezeichnen. Die Vertreter von Frankreich, Großbritannien, also der tschechoslowakischen Bündnisgenossen, sowie von Italien und dem Deutschen Reich beschlossen, daß die Tschechoslowakei, deren Vertreter bei den Vertragsgespräche nicht zugelassen waren, die Gebiete der Sudetendeutschen an das Deutsche Reich abtreten muß, oder anders herum, daß die Nazis kampflos die tschechoslowakischen Randgebiete erobern dürfen. Kampflos, weil sich die tschechoslowakischen Soldaten aus den mit so großem Stolz aufgebauten Verteidigungstellungen von einem Tag auf den anderen zurükkziehen mußten. Worauf die Bevölkerung in ein kollektives Gefühl der Ohnmacht und der Hilfslosigkeit taumelte.[6]

Also marschierte ab dem 1. September 1938 die Deutsche Wehrmacht in die Gebiete der Sudetendeutschen ein. Drei ethnische Gruppen mußten – wie bereits berichtet – in das übriggebliebene und von Hitler als »Resttschechei« denunzierte Land flüchten: die demokratischen Sudetendeutschen, die Juden, die laut Ausweisungsbescheid innerhalb weniger Stunden über die neue Grenze mußten, und die Tschechen.

Und Hitler nutzte die Gunst der Stunde. Nach dem völkerrechtswidrigen Einmarsch inspizierte er den Bunker von Šatov, die demütigenden Fotos der Pressefotografen – der siegreiche Führer im Bunker der besiegten Tschechen – wurden propagandistisch eingesetzt, und der Erfolg der Propaganda war gigantisch: Viele der bis dahin noch unentschlossenen

76

Sudetendeutschen traten der Nazipartei oder gleich der SS bei[7].

Abb 14: Historische Gedenktafel aus Šatov/Schattau

Die Geschichte des Bunkers ist nicht zu Ende. Weilte 1938 der Führer im Bunker, folgte ihm zehn Jahre später – 1948 – der erste kommunistische Präsident Klement Gottwalt. Bis zum Machtantritt der Kommunisten im Feber 1948 war der agrarische Raum durch eine Vielzahl von kleinen Feldern mit Grenzrainen strukturiert. Das wurde nun geändert: Gottwalt selbst ging die paar Schritte von der Hauptstraße zum Bunker und planierte demonstrativ den Grenzrain: Es lebe die Kollektivierung der Landwirtschaft! Dreißig Jahre sollte der Weg dann den Namen des Präsidenten tragen. Und jetzt hockt der Bunker wie ein stählernes vielfüßiges Getier trutzig und vielschrötig am Ackerboden. Das vielfüßige Stahltier wurde vor ein paar Jahren mit bunten Farben popig bemalt und mit der Bemalung wurde ihm der markante Ernst genommen. Vielleicht wird man dereinst über den Bunker lachen können.

Der Bahnhof von Šatov ist der Bahnhof von Šatov ist der Bahnhof von Šatov. Mit dem Ort Šatov hat er soviel zu tun wie eine Grubenente mit einem Entenviech – Bahnhof und Ortschaft haben zufällig den gleichen Namen. Freilich hängt das mit der Strategie der Eisenbahngesellschaften im Zeitalter des Liberalismus zusammen. Die errichteten möglichst billige Trassen, die meist dem Gelände folgten und die Siedlungen wie die Pest mieden, und der Staat durfte dafür die Rahmenbedingungen schaffen. Sollte aber die Gesellschaft ihren Aktionären keine Gewinne auszahlen können, mußte der Staat einspringen und die Gesellschaft »einlösen«, wobei die »Einlösung« viel besser klang als die an den Sozialismus erinnernde »Verstaatlichung«. Wie misslich, daß die hässliche Fratze des Liberalismus immer wieder auftaucht, und die Zeloten vor ihr auf die Knie fallen und ihre Leitartikel schreiben.

Dessen ungeachtet ist der Bahnhof von Šatov eine Rarität, zusammengesetzt aus Versatzstücken der verschiedenen politischen Epochen. Da sieht man die Reste des ehemaligen Empfangsgebäudes der Nordwestbahn, errichtet 1870, wichtige Station der Nordwestbahn auf ihrem Weg vom Wiener Nordwestbahnhof über Znaim nach Prag. Ich habe mir die alten Fotos des Bahnhofs angeschaut, ein Fünftel davon ist etwa erhalten. Dann das skladiště, also der Schuppen, der damals zu jeder Station gehörte, ebenfalls aus der Zeit der Nordwestbahn. Davor eine hässliche Betonrückwand mit einem Glasdach, an der Rückwand einige Abstellplätze, die möglicherweise als Sitze hätten dienen sollen. Daneben ein Ziegelbau undefinierbarer Herkunft mit zwei Türen, eine für die Damen, eine für die Herren. Und schlussendlich als Beweis der Modernisierungsbemühungen der letzten Jahre der etwas erhöhte Bahnsteig mit dem gelben Strich als Grenzlinie für die Wartenden.

Und jetzt kommt der berühmte Eisenbahnvergleich. Wer fuhr schneller von Wien nach Znaim, der Zug in der Monarchie oder der Zug von heutzutage? Erraten.

Der Personenzug der Nordwestbahn dampfte damals – also sagen wir 1914 – um 7:10 am Wiener Nordwestbahn ab; um 9:18 war er in Schattau, dem heutigen Šatov, um 9:30 in Znaim, dem heutigen Znojmo. Also sage und schreibe 140 Minuten. Die Schnellzüge hingegen brauchten nur 96 Minuten. So startete der Abendzug um 21:40 in Wien, und um 23:16 erreichte er Znaim. Wie mans dreht und wendet, es bleibt bei den 96 Minuten.

Heutzutage braucht der schnellste Zug 102 Minuten. Er fährt um 18:58 in Wien ab und hält um 20:40 an seinem Ziel[8]. Der Passagier fährt also um sechs Minuten länger als vor 115 Jahren. Die Städte Znaim und Wien rücken also immer weiter auseinander. Die Grenzen öffnen sich, und die Städte entfernen sich. Bald liegen sie in verschiedenen getrennten Reservoirs, und auf den Trennlinien der Reservoirs wachen die Gartenzwerge und die Fräuleins aus dem Puff. Und ich als Betrachter überlege, ob man die Trennlinie inzwischen als Verbindungslinie bezeichnen könnte oder nicht.

Ein Erlebnis vom Bahnhof in Šatov. Ich komme mit dem Rucksack, der Zug steht bereit, ich frage auf Tschechisch am Bahnsteig den Schaffner. Und wo kann ich eine Fahrkarte kaufen? – Er: Zahlen Sie mit Euro oder mit Kronen? – Darauf ich: Mit Kronen. Darauf er: Wohin wollen sie fahren? – Darauf ich: Nach Retz. – Der Eisenbahner blickt mich an: Das ist schrecklich. – Dann folgt eine Erläuterung der grenzüberschreitenden Komplikation im Eisenbahnwesen, von der ich eigentlich nur Bahnhof verstehe. Schlußendlich seufzt der Schaffner wehmütig und deutet mir, ich soll doch einsteigen.

Ich setze mich in ein Abteil, fünf Minuten später setzt sich der Schaffner ins Nebenabteil, der Zug fährt ab, und wieder sieben Minuten später hält der Zug in Retz. Der Schaffner verschwindet im Bahnhofsbeisl, ich renne zum Fahrscheinautomat, um ein Ticket nach Wien zu kaufen. Das Ticket wird ausgedruckt, und im selben Moment fährt der Zug nach Wien ab. Mit dem Ticket in der Hand geh ich ins Bahnhofsbeisl und trinke mit dem tschechischen Schaffner ein Bier. Schließlich hab ich genau eine Stunde, also sagen wir 55 Minuten, Zeit auf den nächsten Zug.

Anmerkungen

1 Vaclav Nedomansky war in den Siebzigerjahren der berühmteste tschechische Eishockyspieler. Anläßlich einer in Wien ausgetragenen Weltmeisterschaft schwor er, sollte die ČSSR nicht Weltmeister werden, werde er zu Fuß von Wien nach Prag gehen. Nun, die Tschechoslowaken wurden nicht Weltmeister. Und Nedomansky? Der wanderte nach Kanada aus.

2 Die »Deutsche« Thaya entspringt bei Schweiggers im Waldviertel, die »Mährische Thaya« bei Telč. In Raabs vereinigen sich die beiden Flüsse.

3 In der Wiener Heimat werde ich eines Besseren unterwiesen. In der Sprache der k.k. Militärhierarchie wurde für die Arbeit der Pioniere auch der Ausdruck genietechnische Fortifikation verwendet, wobei das Geniale an der Arbeit sich natürlich vom Beruf des »Ingenieurs« herleitet. Und im Tschechischen, das ja gar nicht wenige Wörter aus der kakanischen Amtssprache übernahm, hat sich dieser Ausdruck bis heute gehalten.

4 Sowohl Šobes als auch Thaya haben keinen tschechischen Ursprung, natürlich auch keinen deutschen: Die Namen leiten sich aus dem Keltischen her. Auf dem Šobes fand man auch Ausgrabungen aus keltischer Zeit.

5 Mich hat immer fasziniert, daß man einen Krieg erklären kann. Normalerweise wird ein Problem erklärt und damit zur Lösung beigetragen. Erklärt man einen Krieg, schafft man höchstens ein Problem, und die Lösung schwelgt in weiter Ferne. Ein Frieden wird hingegen nie erklärt. Die Verlierer würden ihn sowieso nicht verstehen.

6 Die kommunistische Partei kritisierte die Haltung der Regierung Beneš

als zu weich und zu nachgiebig, sie warf ihr vor, kampflos vor den Nazis zu kapitulieren. Als Stimme der Regierung sei der damalige tschechoslowakische Propagandaminister Hugo Vavrečka zitiert, der in einer Radioansprache am 30. September 1938 sich an die Nation wandte: »Das große Herz einer kleinen Nation schlug in Panik. Wir standen vor der furchtbarsten Entscheidung...Wir wurden allein gelassen und in einem aussichtslosen letzten Kampf hätten wir uns nicht selbst verteidigen können.« Letztendlich hat sich der Kampf von Hugo Vavrečka schon ausgezahlt. Sein Enkel sollte genau 51 Jahre später die Politik »der kleinen Nation« prägen. Er heißt Vaclav Havel wurde 1989 der erste Präsident der postkommunistischen Tschechoslowakei. Über seinen Großvater Hugo Vavrečka könnte man ein Buch schreiben. Er arbeitete gemeinsam mit Egon Erwin Kisch für die »Lidove Noviny«, war dann jahrelang Botschafter in Wien, schließlich werkelte er in leitender Position in den Bat'a-Werken, ehe ihn Edvard Beneš überredete, die Funktion eines »Propagandaministers« zu bekleiden. Nach dem Krieg warf Kisch ihm und der Regierung Beneš vor, allzu nachgiebig gegenüber den Nazis aufgetreten zu sein.

7 Schlußsatz: Das grausliche »Münchner Abkommen«, das für mich den Beginn des 2. Weltkrieges darstellt, wurde von der Bundesrepublik Deutschland am 13. 11. 1973 im »Prager Vertrag« nach längeren Verhandlungen »für nichtig« erklärt. Verhandelt wurde vor allem über den Zeitpunkt, ab welchem die Annullierung galte. Und in Österreich herrscht vielerorten noch immer die Ansicht vor, daß das »Münchner Abkommen« rechtskonform gewesen sei. Und kein Politiker kommt auf die Idee, sein Bedauern über das schändliche Abkommen auszudrücken, weil Österreich zum Zeitpunkt des Abschlusses des Abkommens nicht existierte. Und doch befanden sich viele »Österreicher« unter den Truppen der Deutschen Wehrmacht, die die Gebiete der Sudetendeutschen besetzten.

8 Eigentlich braucht man noch länger, weil man in Šatov vom Zug in den Bus umsteigen muß, der schließlich vor dem Bahnhof in Znaim hält. Der Grund dafür sind Baumaßnahmen auf der Strecke Šatov – Znaim.

Im mährischen Weingebiet

Im nächsten Jahr setze ich in Šatov – nach der Beendung meiner Südquerung im April – am 30. April meine limenologische Nordpassage fort. Der Start beim Bahnhof klappt ja noch. Ich wandere auf einem kleinen Weg nach Chvalovice. Die grünen Blätter der Obstbäume sind ausgewachsen, die weißen Blüten hat der Wind verweht, sie flattern in der Gegend herum, die ersten gelben Rapsfelder lösen die Obstgärten ab. Auch der Löwenzahn am Straßenrand ist verblüht, man kann ihn knicken, zum Mund heben und mit einem langgezogenen Hauch in die zahlreichen Samen blasen.

Das Schicksal des Ortes Chvalovice wird bestimmt von der E 59, die von Wien über Znaim zur Autobahn nach Prag führt. Das heißt, die Straßenränder werden dominiert von Puffs und Herna-Spielsalons, dazwischen noch ein paar Kristallglasläden. Damit man sich gleich auskennt, sind die Texte für die österreichischen Kunden auf Deutsch: »Jeden Abend 20 bis 30 Mädchen, Zimmerpreis 35 Euro«. Im ganzen Ort habe ich keinen einzigen Einheimischen gesichtet, was mich natürlich zur Annahme drängt, daß es überhaupt keine »Einheimische« gibt. Auch auf den Straßenrändern parken nur Autos mit österreichischen Kennzeichen.

Überraschenderweise schaut sich der Papst das ganze sündige Spektakel an. »vira, neděje, laska«, steht auf einem Plakat, Glaube Liebe Hoffnung, Papež Benedikt XVI. Also gut, konstatiere ich, Geiz macht geil, wie es so schön heißt, und bei 35 Euro für das Zimmer, was soll ich da tun, glauben, lieben oder hoffen.

Jene Orte, die keine direkte Verbindung zu Österreich haben, die blieben in ihrer peripheren Lage erhalten. Freilich fehlen ihnen die dynamischen Wachstumsschübe des Kapitalismus, die ihre Ortsränder mit Baumärkten und Diskontläden bereichern, aber dafür haben sie noch die Jednota, die Hospoda und die

Pošta. In Jaroslavice hocken die Jugendlichen auf dem Stiegenaufgang zur Kirche, Pensionisten tratschen auf den Gehsteigen, auf einer Gstettn jagen drei Buben einem Fußball nach. Ich steige hinauf zur den Ort dominierenden und wie auf einer Rampe errichteten imposanten Kirche, daneben das alte sich hinter wuchernden Bäumen versteckende Schloß[1], auf der Rückseite selbstverständlich der Schloßteich. Zwei Kreuze erinnern an die ehemalige deutsche oder besser: deutschsprachige Bevölkerung von Joslowitz, so der deutsche Name des Ortes.

Im nächsten Dorf Hrádek fotografiere ich die alte Bushaltestelle, die zastávka. Der Passauer Grenzgänger Rudi Klaffenböck hat mir vor ein paar Tagen in Wien erzählt, daß er die alten tschechischen Bushaltestellen fotografieren möchte, da sie in nächster Zeit abgerissen und durch moderne ersetzt werden sollen. Und in fünf oder zehn Jahren wird sich keiner mehr an diese verschwundene Institution erinnern können. Was, das sollen unsere Bushaltestellen gewesen sein? Werden sie sagen, wenn man ihnen der Fotos von Rudi Klaffenböck zeigt. Vielleicht sollte ich anfangen, die österreichischen Bahnhöfe zu fotographieren.

Abb 15: Bushaltestelle in Hrádek

Viele Bewohner von Hrádek und Jaroslavice widmen sich saisongemäß der Gartenarbeit, einem kleinen Tratscherl mit einem einsamen Wanderer sind sie nicht abgeneigt. Oft beginnen sie mit einem zu mir gerichteten pomalu pomalu unser Pausengespräch. Mit dem Alter steigt dabei ihr Mitteilungsbedürfnis und damit ihre Auskunftsfreudigkeit. Wenn ich eine Zwanzigjährige nach dem Weg frage, schaut sie mich entsetzt an und schüttelt unverständlich den Kopf. Herren mittleren Altern antworten kurz angebunden, sie wissen das nicht, weil sie sind eigentlich gar nicht von da, sie warten nur auf ihre Frauen. Und wenn sie älter sind, dann wollen sie mir die Geschichte des Ortes erzählen, von 1920 bis zur Gegenwart, aber ab 1930 hab ich Probleme mit dem Tschechischen und ab 1940 versteh ich nur mehr Bahnhof.

Wahrscheinlich sind sich die Bewohner der an der jeweiligen Peripherie liegenden Dörfer gar nicht so unähnlich. Die Unterschiede, die Trennlinien, die neuen Grenzen, die kommen von wo anders. So werden im nationalen Kampfblatt der Österreicher, der »Kronenzeitung«, die Bewohner von drüben in den Leserbriefen Tag für Tag als »Gesindel« bezeichnet, oft wird gefordert, der »Eiserne Vorhang« soll schnell wieder aufgebaut werden, daß das Gesindel ja nicht zu uns herüberkomme. Wer mit dem Finger derart prononciert auf das Gesindel zeigt, deklariert sich selbst als das größte Gesindel.

Und was soll ich dem Bauarbeiter erzählen, der mit mir in Dyjákovice in der Mittagspause den Tisch teilt und der wuchtig sein Bierkrügerl neben meine mineralka abstellt? Soll ich ihm auf die Frage, was denn die Österreicher über die Tschechen denken, Folgendes antworten: »Das ist ganz einfach. Das einzige Konzept, das die Sozialdemokraten haben, lautet: Die von drüben, die brauchen wir nicht. Und das einziger Konzept, das die Wirtschaft hat, lautet: Was wir brauchen, das sind die Märkte von drüben.«

Nein, ich erzähl das nicht dem Bauarbeiter, schon allein, weil mir das tschechische Wort für Gesindel – sběř –nicht einfällt. Ich verabschiede mich brav mit einem ahoj und wandere weiter nach Hevlín: Heute ist der Tag der Rehe. Die Rapsfelder und die Obstgärten sind inzwischen den landwirtschaftlichen Flächen der Sorte »grenzenlos« gewichen, links reichen sie bis zum Horizont, rechts reichen sie bis zum Horizont. Der Weg führt längs einer übergebliebenen tristen Hecke. Da ein Reh, dort ein Hase, ein paar Meter vor mir habe ich sie aufgescheucht, und sie zischen in weiten Sprüngen auf die in die Endlosigkeit führenden Felder.

Und dann prasselt der Hefliner Hagel vom 30. April 2009 auf mich nieder. Und das kam so.

Natürlich hatte ich auf die dräuenden sich ballenden Wolkenformen – tiefschwarze wogende Haufen im Zentrum, etwas heller und aufgelockerter an den Rändern – über den Pollauer Bergen geachtet. Doch nach meinen laufend aktualisierten Berechnungen müßte der Wolkenbruch an mir vorüberziehen, ohne mich mit seiner erbarmungslosen Wucht zu treffen. Freilich nahm ich wahr, daß die Vögel in den Hecken nicht mehr zwitscherten, daß die Frösche in den Rinnen auf beiden Seiten des Weges nicht mehr quakten, nachdem ich die letzten zehn Minuten durch ein beidseitiges vielstimmiges Quakkonzert gewandert war. Auf einmal weht der Wind nicht mehr, und normal sind Gespenster laut und machen Unfug, aber diesmal ist sie sozusagen lautlos, die gespenstige Stille. Und da vorne die pechschwarzen mir drohenden Wolkenverbände, und ich auf einem Feldweg, etwa drei Kilometer vor Heflín.

Als mit einem Mal, von einer Sekunde auf die andere, der Sturm losbricht, da weiß ich, daß ich es nicht mehr schaffen würde. Zwei Minuten später prasseln daumendicke Hagelkörner auf die Kapuze meines Anoraks, und fünf Minuten später erstarre ich im nassen Dreck, weil vom Dach, unter dessen Schutz und Schirm ich mich gestellt hatte, andauernd Sand und Erde auf mich rutscht. Nachdem ein sich spontan gebildetes Flüsschen ihren Lauf ausgerechnet zu jener Scheune richtet, an deren

Wand ich mich lehnte, beschließe ich, meine Wanderung vorerst zu unterbrechen und vom österreichischen Laa aus mit dem Zug nach Wien zurückzufahren.

So kommt es, daß ich von Heflín nichts berichten kann. Als der Hagel im Abklingen war, überquere ich auf einer Brücke ein künstlich angelegtes schnurgerades Rinnsal, eine Rinne, mit einem trägen und müden Gewässer: die während meiner Wanderung von mir schon so oft gekreuzte Thaya. Welch ein armseliges und trauriges Wiedersehen.

Und als der Regen bereits abgeklungen war, da erreiche ich das Niemandsland, die Grenzzwischenzone. Verdattert bleibe ich stehen. Auf der rechten Seite lange gelbe Hallen mit blauen Dächern, rote zweistöckige Läden mit Flachdächern, und große gelbe Plakate, auf denen in deutscher Sprache steht: RRRAUS-MARKT, WELLNESS, TRAVELFREE, KINDERAREAL. Hoffentlich lernen die Tschechen nicht Deutsch, denke ich mir, ich gehe in rrrausmarkt, du gehst in wellness, er geht in travel-free. Vor den Hallen runde blaue mannshohe Gestalten mit kurzen gelben Füßen, die wohl einen Euro markieren sollen. Oder den Sparefroh. Oder den Mister Geizmachtgeil. Ich fotografiere einen dieser Blödmänner. Da startet ein Jungmistelbacher in seinem Jungmistelbacherwagen eine fürchterliche Hupserie – ich, vermeintlich ein Tscheche, wage es, einem Jungmistelbacher die Zufahrt zu seinem Konsumtempel zu versperren! Das hat man von den offenen Grenzen!

Fazit: Die Grenze ist hässlich, sie ist der absolute Tiefpunkt an Scheußlichkeit. Schnell weg, vorbei am ehemaligen österreichischen Zollgebäude, das erste österreichische Lokal gleich nach der Grenze heißt Incognito und verkauft Zipfer Bier, ich eile still und leise am Incognito und am Zipfer Bier vorbei und marschiere eine halbe Stunde durch Laa, bis ich endlich zum Bahnhof komme. Jetzt das positive: Um sieben am Abend fährt noch ein Zug nach Wien, und neben dem Bahnhof existiert ein geöffnetes Kaffeehaus, in dem ich ein nach Laa passendes Hubertus trinke. Und das Negative. Dem Kursbuch von 1915 entnehme ich, daß der Schnellzug bis zum Staatsbahnhof, also dem Wiener Ostbahnhof, damals eineinhalb Stunden gedampft war. Und heute brauche ich für dieselbe Strecke über zwei Stunden. Der Fortschritt möge leben, diesmal auch auf Tschechisch, damit es alle verstehen: at' žije pokrok.

Abb 16: Der RRRAUSMARKT an der Grenze

Am 11. Mai geht's weiter vom Bahnhof in Laa. Ein seinem Autokennzeichen entsprechender liebenswürdiger Altmistelbacher will mich vom Bahnhof weg mit dem Auto zum Hotel mitnehmen. Ich: »Ich geh zu Fuß.« – Er: »Ist eh nicht weit zur Therme.« – »Ich will aber nicht zur Therme!« – »Wohin wollens denn?« – »Nach Mikulov.« – »Nach Mikulov? Das sind doch über 30 Kilometer!« – »Ja eh, aber dafür gibt's dort einen Wein!«

Die Trasse der Eisenbahn führt übrigens vom Bahnhof noch ein Stück Richtung Grenze, dann endet das Gleis abrupt. Nur die

Trasse setzt sich fort, die Schienen nicht mehr, die Trasse führt über den Mühlbach und über die Thaya, und schnurstracks führt die Trasse zum Bahnhof in Heflín. Vom Bahnhof Heflín kann man nach Brünn oder nach Znaim fahren. Andauernd fehlen die berühmten fünfhundert Meter, und ich beschließe, einen Katalog anzulegen: Die berühmtesten Löcher der Verbindungen und warum man sie nicht stopfen will.

Irgendwo vor mir fließt die Thaya, und irgendwo fließt der Mühlbach, und laut Karte bilden die beiden Gewässer ein System von nicht ganz überschaubaren Verästelungen, entstanden durch unwillkürliche Änderungen des Flusslaufes sowie durch sehr willkürliche Regulierungen von menschlicher Hand. Selbst die Grenze kennt sich nicht mehr aus und verläuft einmal nördlich und einmal südlich der Thaya. Ich meide das undurchdringliche Geflecht und wandere auf der Straße Richtung Alt-Prerau. Und worauf stoße ich zuerst? Auf eine Großbaustelle der STRABAG, die eine Schnellstraße von Österreich nach Tschechien errichtet. Was schnell zusammenwächst, das sind die Schnellstraßen. Was für immer unterbrochen bleibt, das sind die Schienenverbindungen. Der Fortschritt möge leben, jetzt wissen es auch schon die Österreicher, at' žije pokrok.

Bald darauf stoße ich auf einen Doppelfriedhof. Südlich der Straße ein österreichischer, nördlich der Straße ein sowjetischer. Also hinein in den sowjetischen Friedhof. Hier irgendwo ist der Großvater von Oleg Deripaska bestattet, jener Deripaska, der als zweitreichster Russe Ko-Chef der STRABAG geworden ist. Aber bitte, daß kann doch kein Zufall sein! Und die STRABAG-Straße bildet beinahe die Zufahrt zum Friedhof! Und seitlich des Friedhofes hat Enkel Oleg Deripaska bereits einen 400m2 großen Grund gekauft, um dort eine Kapelle für seinen bei den Kämpfen um die Befreiung Österreichs ums Leben gekommenen Großvater zu errichten!

Ich finde leider das Grab von Großvater Deripaska nicht. Kein Wunder, etwa tausend Sowjets sind hier bestattet, gefallen in den allerletzten Kampftagen im April. Bei manchen kennt man nur mehr den Familiennamen, bei vielen weiß man weder Vorname noch Vatersname noch Familienname. Ich blicke auf den Sockel des zentralen Denkmals und lese den russischen Text: »Große Ehre den Helden, gefallen in den Kämpfen um die Freiheit und die Unabhängigkeit ihrer Heimat und der Völker Europas«.

Gefallen für die Freiheit und die Unabhängigkeit ihrer Heimat und der Völker Europas. Und vor zwei Tagen ist in Prag, in Moskau, und Belgrad mit einem offiziellen staatlichen Feiertag das Ende des Faschismus gefeiert worden. In Österreich gilt das Ende des Faschismus nicht als Grund zum Feiern. Im KZ-Nebenlager in Ebensee fand eine Gedenkveranstaltung mit noch lebenden KZ-Veteranen statt. Worauf ein paar Neonazis mit Gummigeschossen und Steinen auf die Teilnehmer der Veranstaltung schossen. Zwei betagte Franzosen sind sofort wieder nach Frankreich zurückgereist. Wer hat eigentlich den Zweiten Weltkrieg gewonnen? Und am morgigen Tag, nämlich am 12. Mai, tritt ein faschistischer Sänger im Wiener Budo-Center auf: der Kroate Marko Perković, der sich nach der Marke einer Maschinenpistole »Thompson« nennt. In Wien habe ich dann gelesen: Die zahlreichen kroatischen Fans grölten faschistische Parolen und schwenkten faschistische Devotionalien. Kurz darauf demonstrieren die rechtsradikalen Proleten in Wien gegen den Ausbau eines islamischen Zentrums. Und die Sprecherin der rechtsradikalen Proleten bekundete mit einem martialischen Sinn für Ironie, sie halte die Bezeichnung »Nazi« für einen Ehrentitel. Und wofür sind die armen namenlosen sowjetischen Soldaten Tausende Kilometer fern ihrer Heimat auf einem ihnen völlig unbekannten Terrain in den letzten Kriegstagen bei Laa an der Thaya gefallen? Und wofür ist Großvater Deripaska von einem Soldaten der Deutschen Wehrmacht erschossen worden? Ja wofür? – Damit sein Enkel 65

Jahre später eine Schnellstraße zum Friedhof nach Laa an der Thaya errichtet wird.

Schnell weiter, damit ich auf andere Gedanken komme. Erst auf dem Übergang zwischen Alt-Prerau und Nový Přerov halte ich. Ein neuer, nicht asphaltierter Fahrweg, der ins niederösterreichische Wildendürnbach führt. Und drüben sehe ich schon die ersten Häuser von Nový Přerov. An der Grenze die Reste von alten Panzersperren, dazu ein Bankerl und ein Marterl. Ich nehme ein paar Schlucke aus meiner Wasserflasche und lehne mich mit dem Rücken an das Marteln. Die dichten Blüten der Akazien, die Blicke können gar nicht durch die zarten weißen Schmetterlingsblüten brechen, die die kleinen grünen Blätter verbergen. Berührt ein sanfter Windhauch die Blüten, dann gleiten sie in verspielten Kurven zu Boden, wo sie ein weißes Hauberl bilden.

Als ich im Mährischen weiterwandere, setzt das mit den Hasen ein. Ich weiß wirklich nicht warum. Möglicherweise hängt es damit zusammen, daß außer mir niemand auf dem Grenzweg herumstrolcht. Sie rennen gerade auf mich zu, erstarren fünf Meter vor mir, schnüffeln sich was, und hetzen wieder denselben Weg zurück. Oder sie hoppeln hurtig von der rechten Seite, erstarren unter der Akazie, einzig und allein ihre Nasenlöcher sind in filigraner Spannung, dann hopseln sie noch schneller auf die linke Seite davon. Als alter Ministrant weiß ich, was sich gehört: Ich bedanke mich beim Heiligen Hubertus, daß er seinen Schützlingen dieses Jagdgebiet an der Grenze noch nicht verraten hat.

Březí. Ja, Březí heißt der Ort an der Eisenbahn, an der Linie von Znaim über Mikulov nach Břeclav. Březí[2] steht auf dem Schild eines größeren Hauses, und kurz überlege ich, was das baufällige Haus damit bewirken will. Ein Zug dürfte nicht mehr in Březí halten, Wanderer könnten sich bei überraschenden Gewitterattacken unterstellen und dem vorbeifahrenden Zug nachwinken.

Eigentlich wollte ich südlich der einspurigen Bahntrasse auf dem Radweg weiterwandern, aber nach einem Kilometer wird mir der Radweg zu fad. Zudem bildet die parallel zur Grenze errichtete Bahntrasse eine Art zweite Grenze. Südlich der Bahn, so denke ich mir, da war gar nichts mehr, südlich der Bahn, da war das militärische Sperrgebiet, da war die Pampas.

Dabei spielte diese Bahnstrecke in den Friedensverhandlungen von St. Germain eine gewisse Rolle. Nach der Gründung der ersten tschechoslowakischen Republik führten Teile dieser Bahn von Znaim nach Břeclav über österreichisches Territorium. Damit hätte man den Reisenden einen doppelten Grenzübertritt zugemutet. Also entschieden die alliierten Siegermächte: Die neue Staatsgrenze rückt ein paar Kilometer nach Süden, die Trasse bleibt zur Gänze in der Tschechoslowakei und ein paar Orte wechseln das Land.

Aber jetzt schnell weiter nach Mikulov. Mikulov ist eine Illusion. An warmen Tagen wähnt man sich unter blendenden weißen Felsen in Weinlauben zu sitzen, als wär man irgendwo im Mediterranen. Zwischen den Kalkfelsen hat sich der Ort eingenistet, und die von den Sonnenstrahlen funkelnden weißen Steine blenden tatsächlich deinen Blick, der sich hebt und auf der Kirche heften bleibt, die auf der Spitze des Kalkbrockens errichtet wurde. Mikulov ist ein extraterritorialer Winkel, gestohlen und zusammengesetzt von einem steilen Brocken aus Černa Gora und einem lieblichen Flecken aus Dalmatien.

Mikulov ist eine Illusion, und da die Blasen der Illusion leicht platzen könnten, laß ich das Griffige aus. Ich laß diesmal sogar den jüdischen Friedhof aus, ich laß aus die Judengasse mit den Brüdern Sonnenfels, ich laß aus das rohatý krokodyl mit dem Golem und dem rituellen Bad im tiefsten Keller, ich laß aus den Dietrichstein und seine Gruft, und ich laß aus die Habaner, die man unserenorts eher Wiedertäufer nennt, und ich laß aus den Brand des Schlosses in den letzten Kriegstagen, bei dem die Kulissen der Wiener Staatsoper zerstört worden sind.

Abb 17: Bahnhofsrestaurant in Mikulov

Um sieben am Abend treffe ich mich mit Jan Sochor na náměstí, auf dem Hauptplatz, und tatsächlich kommt der Zweiundachzigjährige Punkt fünf zu dem Bankerl vor der Pestsäule. »Sog Hansl zu mir«, hat er mir vor Jahren im lupenreinen Weinviertler Dialekt vorgeschlagen, und ich stellte mich auf tschechisch mit »Pepi« vor. Beim zweiten oder dritten Treffen hat er mich auf den Friedhof mitgenommen. Dort hat er mir das Grab seines Sohnes gezeigt, der von einem Auto überfahren wurde, und dann hat er mich zum Grab der Familie Mährischl geführt. Bedřich Mährischl, 1900 – 1974, darunter überraschenderweise mit ihrem deutschen Vornamen Franziska Mährischl, 1912 – 1977. »Hör zu was i dir jetzt sag. Das war der Mährischl von der republikanischen Wehr.« – Und wer ist die republikanische Wehr?« – »Sichst i hab gwußt, daßt des net waßt.«

So. Und jetzt sollt ich etwas über die republikanische Wehr erzählen. Das wird aber viel zu lange, da müßte ich ein eigenes Buch schreiben: »Linke Sudetendeutsche im Kampf gegen Hitler und die Nazis«.

Jedenfalls gab es im deutschen Nikolsburg, das sich Mitte der Dreißigerjahre fast ausschließlich zu Hitler und zum Großdeutschen Reich bekannte, eine kleine verzweifelte deutsche Minderheit, die zusammen mit den tschechischen Bewohnern der Stadt gegen den Faschismus kämpfen wollte. Sie organisierten die »republikanische Wehr«, die in Nachtpatroullien die tschechischen Häuser in Nikolsburg vor den Übergriffen der fanatischen Henleins[3] schützte.

Ein einziger von ihnen hat die Zeit der Okkupation überlebt, eben besagter Fritz Mährischl, alle anderen wurden wegen bestimmter Vergehen – zumeist Spionage – erschossen, erschlagen, aufgehängt.

Ein anderes Mal hat der Hansl auf das Rathaus von Mikulov gezeigt. »Hör zu was i dir jetzt sog«, so der Hansl. »Durt obn ist er gstandn, auf an Balkon, der Balkon is aber nimma do. Und am Platz da san die Deitschn gstanden und alle haben brüllt: Wir danken unserm Führer, wir danken unserem Führer!«

Abb 18: Sie dankten ihrem Führer

Dann hat sich der Führer noch fotographieren lassen vor einem der Bunker, die nach dem Münchner Diktat kampflos in die Hände der Nazis gefallen sind. Die Geschichte vom Bunker in Šatov wiederholt sich. Das Foto des über die matten Tschechen triumphierenden Führers wurde propagandistisch ausgenutzt und in allen Zeitungen veröffentlicht – noch am Abend desselben Tages sind in Nikolsburg 450 Männer freiwillig der SA beigetreten.

Die Rache der Sieger war fanatisch. Fast alle der deutschen Nikolsburger wurden über die nahe Grenze nach Österreich getrieben. Damit wurde ein strategisches Ziel der Nazis umgesetzt – Mikulov war ethnisch gesäubert. Freilich, ein paar Deutsche blieben, eben jener Friedrich Mährischl und seine Frau Franzsika. Während auf dem Grabstein der Friedrich zu einem Bedřich tschechisiert wurde, ließ man seiner Frau im Tode ihre deutsche Franziska.

Heute gehen Hansl und ich in den Rathauskeller und reden über die Gegenwart. Einer lokalen Zeitung habe ich schon entnommen, daß in Mikulovsko die Arbeitslosenrate die höchste in der tschechischen Republik sei. Hansl rechnet mir vor, daß die Pension seiner Frau Jahr für Jahr relativ immer weniger werde. »Früher hat man die Augen zughobt und den Mund zugmocht und is so durchgangn. Heut is des wurscht, heut kommens mit die Sensen daher.« Und dann erzählt Hansl, daß er tatsächlich 1948 mit drei Freunden nach Österreich flüchten wollte. »Oba i hob damols scho mei Frau kennt, und außerdem wärs meinen Eltern schlecht gangen, wenn ihr Sohn ins Ausland abghaut ist. So sind meine drei Freind nach Österreich, und i bin blieben in Mikulov«.

Am nächsten Tag folgt eine kontrastreiche Wanderung nach Břeclav. Erst über den vielsteinigen Kalkstock steil hinauf, fast wie durch eine Kletterwand, zum svatý kopeček. Dort auf einem schmalen flachen Wiesenstück die Wallfahrtskirche des Heiligen

Sebastian. Dann durch eine Reihe von sanften Hügeln mit welligen Abhängen, auf den Abhängen die schier endlosen Reihen der Weinstöcke. Bis ich schlussendlich beim hraniční zameček Halt mache. Ja, ein Schloß, ein Schlösserl, ein Grenzschlösserl[4].

Ich setze mich auf die anmutige Rückseite des Schlösserls zu einem Kaffee, Mehlspeisen gibt's leider keine, und betrachte ein wenig müßig den Teich, der fast bis zum Schloßareal reicht. Ein paar Schwäne zuckeln stumm auf nicht zu prädestinierenden Linien, vom Rand des Teiches quakt um so lauter eine Unzahl von nicht sichtbaren Fröschen. Rechts neben mir thront ein steinerner Löwe mit einem Eisenring im Maul.

Ich zahle meinen Kaffee und setze fast andächtig, wie in einer Kirche, den Weg fort durch den Liechtenstein'schen Landschaftspark, angelegt als eine Mischung von Kultur- und Naturlandschaft, von Au und Wäldern. Inmitten dieses von Thayaarmen durchzogenen Landstriches, in dem der Fürst exotische Bäume aus allen Kontinenten setzen ließ, stehen nach arithmetischen Plänen verschiedene Lustschlösser mit Amoretten, aber auch ihnen ähnelnde Kirchen mit Engeln. Und als sich der Fürst Liechtenstein mit der Gemeinde zerstritt – es ging um einen Grundstückskauf – , da ließ der Fürst auf seinem Areal ein Minarett bauen. Ja, ein Minarett, mit 302 Stufen und einer Höhe von 62 Meter ist es das höchste Minarett in Mitteleuropa, und von der Spitze des Minaretts soll man bei klaren Sichtverhältnissen die Spitze des Stepfansdomes sehen können. Bitte, und wie soll man da das Abendland retten?

Mein Weg führt mich, begleitet vom Quaken der Frösche und vom Schnattern der Enten, erst zu den »Drei Grazien«. Die dürfen sich vor dem riesigen Halbrund einer Kollonade sonnen. Ich trinke mit jeder von ihnen ein Glaserl mineralka, dann eile ich weiter zum Heiligen Hubertus. Da wird's ein bisschen problematischer: Was soll ich mit dem Patron der Jäger schon trinken. Einen Jägermeister, das ist zu nahe liegend, vielleicht eine

Zitronenlimonade? – Und nach 30 Minuten habe ich den Stadtrand von Břeclav erreicht. Noch einmal überquere ich die Thaya, oder besser, einen der verschiedenen Thaya-Arme, die mitten durch Břeclav strömen, dann stoße ich auf ein Dreieck, umrissen und gespannt von Billa, Lidl und Tesko: Hurra, der reale Kapitalismus hat mich wieder! Ich durchquere schnell und ohne Seitenblicke das Dreieck und starte die Suche nach dem jüdischen Friedhof. Zweidreimal muß ich nachfragen, bis ich entdecke, daß ich schon zweimal im Kreis marschiert bin – oder anders ausgedrückt: der Friedhof liegt labyrinthisch versteckt.

Jetzt hab ich den Weg entdeckt, der zum Eingang des Friedhofs führt[5]. Wo der Weg abbiegt stehen drei Mistkübel. In einem deponiert man Papier, im zweiten Plastik, im dritten Glas, dann schließt man den Plastikdeckel. Und hundert Meter weiter, da hat man in einer versteckten Fläche die Juden eingescharrt, dann hat man den Grabdeckel geschlossen. Ich ziehe an der Kapelle vorbei und steuere direkt auf die einzige Gruft im gesamten Friedhof, auf die Kuffner-Gruft. Vor der Kuffner-Gruft setze ich mich auf eine Stufe, verneige mich vor dem Freiherrn Ignaz und bin ganz untröstlich, weil ich kein Ottakringer-Bier im Rucksack verstaut hab. Also muß ein Schluck aus der Mineralwasserflasche reichen.

Besagter Ignaz Freiherr von Kuffner – er stammte aus Lundenburg, dem heutigen Břeclav – hatte im Jahre 1850 eine kleinere Brauerei auf der Riede Paniken in Ottakring gekauft, die bislang einem Müllermeister Plank aus Rannersdorf gehörte, und entwickelte die Brauerei zu ihrer heutigen Größe und Bedeutung. Das Kaufjahr 1850 wird heute noch offiziell als Geburtsjahr der »Ottakringer Brauerei« gefeiert. Wie manche der jüdischen Unternehmer seiner Zeit verknüpfte er seinen bald anwachsenden Reichtum mit der Verpflichtung, das soziale Elend der damaligen Zeit ein wenig zu lindern: Kuffner ließ ein Spital errichten, verteilte Holzdeputate an die Armen der damals noch selbständigen Gemeinde Ottakring und gründete die erste betriebseigene Speiseanstalt für Arbeiter. In Würdigung seiner Verdienste wurde er 1869 zum Ottakringer Bürgermeister gewählt, 1878 von Kaiser Franz Joseph I. in den Adelsstand erhoben.

Sein Sohn und Alleinerbe Moritz führte nach des Vaters Tod die Brauerei weiter. Zudem gründete er die nach ihm benannte Sternwarte auf dem Wiener Gallitzinberg.

Da die Gruft des Lundenburger Freiherrn mittlerweile verfällt, und da der Verfall mittlerweile unaufhaltsam ist, gehe ich ins nächstgelegene Beisl – es gehört zu einem Tennisplatz und wirbt für »Helmut Sachers Kaffee«– und bestelle dort ein pivičko. Ich erhalte ein Gambrinus aus Pilsen und trinke es auf das Wohl des alten Ignaz, des letzten Bürgermeisters von Ottakring. Prost!

Anmerkungen

1 Bis 1945 gehörte das Schloß einem Graf von Spee. Nach 1948 lag der Ort in der militärischen Sperrzone.

2 Frühere Bezeichnungen lauteten Bratlesbrunn und Prátlsbrun. Im Ort stand ein Denkmal von Joseph II. Als am 12. 12. 1918 die tschechoslowakischen Truppen in den Ort einrückten, wurde dem Kaiser ein Strick um den Hals gebunden, in der nächsten Nacht wurde das Denkmal vom Sockel gestürzt.

3 Der Führer der Sudetendeutschen Partei (SdP), der Turnlehrer Konrad Henlein, verfolgte zielstrebig sein Ziel, die deutschsprachigen Gebiete innerhalb von Böhmen und Mähren an das Großdeutsche Reich anzuschließen. Während des 3. Reiches avancierte er am 30. Oktober 1938 zum Gauleiter des Sudetenlandes. Wegen seiner eher mittelmäßigen Intelligenz und wegen kolportierter Gerüchte über seine Homosexualität blieb seine weitere Nazi-Karriere nach dem »Gauleiter« stek-

ken. Am 10. Mai 1945 verübte er in einem amerikanischen Gefangenenlager bei Pilsen zusammen mit seinem Adjutanten Selbstmord. Der Name seines Adjutanten ähnelte stark meinem eigenen Namen: Er hieß Bayerl.

4 Den Namen hat das Grenzschlösserl von jener Grenze, die bis zum Friedensvertrag von St. Germain einerseits das Erzherzogtum unter der Enns, andererseits die Markgrafschaft Mähren trennte. Aus der Amphore einer Nymphe soll tatsächlich der Grenzbach gesprudelt haben. Errichtet wurde das Schlösserl 1827 vom bekannten Biedermeierarchtiekten Josef Kornhäusel.

5 Wer tatsächlich in Břeclav den jüdischen Friedhof finden will, der sollte im Stadtplan nach der Haškova suchen und dort solang weitergehen, bis er die drei Mistkübel zur Linken entdeckt.

Längs der March

Von Břeclav geht's weiter in den Süden, zumeist längs der March, die hier die Grenze bildet und Österreich von der Slowakei trennt. Ich gesteh es: Gestartet bin ich mit einem flauen Gefühl im Magen, und einem flauen Gefühl in den Beinen: Zum ersten Mal auf meiner Grenztour benutze ich ein Fahrrad, meine etwa zwanzig Jahre alte aber noch nicht ganz abgerollte »Genesis«. Das Problem: Ich bin mehrere Jahre nicht mehr mit dem Rad gefahren, habe mir erst die Logistik des Radelns wieder anlernen müssen – wo verstaue ich das Diktaphon, wo die Kamera, wo den Reisepaß: vorne, hinten, oder im Rucksack. Dann folgt die äußere Logistik: Welche Zügen transportieren Fahrräder, in welchen Waggons kann man Räder abstellen.

Apropos Züge, im Zug der Nordbahn von Wien nach Břeclav folgender Dialog zwischen einer Wienerin und einem Fachkundigen. Die Wienerin, aufgeregt: »Der Zug ist viel zu spät!« – Der Fachkundige: »Aber wo , er ist eh normal.« – Die Wienerin, verzweifelt: »Aber wir sollen laut Fahrplan um halb in Bernhardsthal sein!« Der Fachkundige: »Aber ja, der Zug hat immer Verspätung!«

Ich radle vom Bahnhof der südmährischen Grenzstadt nach Poštorna, überquere wieder einmal die Thaya, biege bei der Pizza Mafiosi ab und strample durch das Augebiet der Thaya. Offiziell gibt es hier keine Straßenverbindung mehr, aber natürlich muß es alte Wege geben, ehemalige Trassen zwischen dem Österreichischen und dem Mährischen. Ich möchte sie wie ein Scout auskundschaften, eine gute Karte ist sehr hilfreich, einmal verirre ich mich und muß bei den Gleisen der Nordbahn umkehren. Schlussendlich finde ich einen Weg, der tatsächlich ins Österreichsche führt. Der Weg besteht aus einer unregelmäßigen Abfolge von mit Regenwasser gefüllten Schlaglöchern, das Dreckwasser spritzt auf die Lenkstange und auf die Rückseite meines Rucksackes. Ich komme beim alten österreichischen Zollhaus vorbei und entdecke ein Straßenschild: »Achtung Ausbauende«. Zuerst halte ich das, vor dem ich mich in acht nehmen soll, für ein Adjektiv, ist ja klar, irgendwas wird schon zum Ausbauen sein, das Zollhaus, die Hecke, die Waldgrenze, damit ich wieder einmal das Wort Grenze verwende. Doch dann deucht mir: Nein, das Ende ist damit gemeint, und zwar das Ende des Ausbaus.

Dann verlasse ich das dichte Augebiet der Thaya, die sich östlich von mir nach Süden dreht und weiter unten, kurz vor Hohenau, in die March münden wird. Endlich draußen aus dem Augebiet, ich halte kurz an, der Blick schweift frei über die langgestreckten Getreidefelder bis zum Horizont. Und am Horizont sehe ich sie, die Kleinen Karpaten, das Ziel meiner Tour Nummero sieben.

In Rabensburg radle ich am Geburtshaus und Sterbehaus des Schauspielers Oskar Sima vorbei, er starb hier am 23. 6. 1969. In Hohenau muß ich mich durchfragen, weil ich nicht weiß, wie ich zur Marchbrücke komme. Eine Frau beim Supermarkt zeigt mir den Weg. »Aber sie können nur drüberfahren, wenn kein Hochwasser ist, sonst ist sie gesperrt!« – »Und wenn Niedrigwasser ist?« – »Dann ist sie auch gesperrt! Aber davor brauchen Sie sich heuer nicht fürchten!«

Nach genau 2,5 Kilometer halte ich vor der Marchbrücke: Gott sei Dank kein Hochwasser im Hochwasserjahr 2009, die Brücke ist passierbar. Eine einfache Brücke ersetzt die schwimmende Pontonbrücke, über die ich noch vor zwei drei Jahren gefahren bin. Die neue Brücke ist einspurig passierbar, mit Ampeln geregelt, drei Meter breit, die Belastbarkeit beträgt 18 Tonnen. Ich schiebe das Rad über den Fußgängersteg und betrete zum ersten Mal während meiner Grenztour das Territorium der Slowakei.

Abb 19: Slowakisches Grenzschild

Zum trennenden Grenzfluß March:[1] Sie schafft ein weites mit vielen mäandrierenden Seitenarmen durchzogenes Augebiet. Der Hauptfluß selber zieht in vielen starken Drehungen Richtung Süden, manchmal wurde das kurvige Flussbett durchgeschnitten und der Flußverlauf begradigt, viele abgetrennte Altarme blieben über.

Das von Menschen kaum zu querende Augebiet ist ein Vogelparadies. Mehr als 200 Sorten – so lese ich auf einer Tafel – »überwintern, brüten, jagen hier oder ziehen auch nur durch«. Für die Vogelkundler, für die Ornithologen mit den Ferngläsern, für die stehen Aussichtstürme bereit. Manche Sorten überwintern hier oder ziehen auch nur durch. Sie jagen nach fotographischen Schnappschüssen. Nur mit dem Brüten will es nicht recht klappen.

Die March ist ein versteckter, ein rätselhafter, ein geheimnisvoller Fluß, von dem man gar nicht genau weiß, ob es ihn überhaupt gibt. Die Wander- und Radwege enden stets vor den Seitenarmen irgendwo im Hochwassergürtel. Zur Zeit kann man nicht einmal den Hochwassergürtel passieren – Tümpel, Wasserlacken, größere Teiche. Gibt es kein Hochwasser – etwa im trockenen Sommer 2007 – so verhindern andere Faktoren das Besichtigen des Flusses. Mit Martin Leidenfrost, der in Devínska Nová Ves lebt, wollte ich mich damals südlich der Marchegger Eisenbahnbrücke zur March durchkämpfen. Wir kletterten durch kratzendes Gestrüpp, stapften durch gatschige Seitenarme. Dann griffen uns die Gelsen an. Schärme von Gelsen stachen unbarmherzig ins Gesicht und auf die Oberarme, und wir mußten unser Vorhaben aufgeben und uns auf gelsenlosen Gestade zurückziehen.

Zurück zu meiner Radtour, zurück zur Notbrücke von Hohenau. Gleich am Damm der March beginnt der erste Radweg. Sein Name wird zweisprachig angeführt. Auf Slowakisch heißt er »Moravská cyklistická cesta«, auf Englisch »iron curtain green way«, welch seltsame und widersprüchliche Verkettung zweier Metaphern: Eiserner Vorhng und Grüner Weg. Zwei alte Panzersperren erinnern noch an den »Eisernen Vorhang«. Ich folge mit meiner Genesis aber nicht dem Radweg, ich will mir lieber die slowakischen Dörfer anschaun, verlasse das Augebiet und radle in die »Záhorie«, jenes Gebiet, das von den Kleinen Karpaten einerseits und der nicht zu querenden March andererseits eingeklemmt wird.

Moravsky Sväty Jan, Vel'ke Levare, Gajary. Erste Erkenntnis: Ich befinde mich im Reich des Zlatý Bažant, des Goldfasans. Diese Biermarke hat hier ihre Pfründe abgesteckt, ihre Einflußzonen markiert. Vor jeder der zahlreichen neben der Straße errichteten Schankstellen – eine hat den wunderschönen Namen Na rohu, also am Eck – blicke ich auf den langschwänzigen Vogel mit dem auffallenden roten Gesicht, auf jeder Tür der Lebensmittelhändler sehe ich das Logo mit den goldenen Buchstaben auf grünem Hintergrund. Die Herrschaft des Goldfasans ist aber nicht absolut, sie wird ihr streitig gemacht vom Stein, bitte jeden Buchstaben getrennt aussprechen, also s-t-e-i-n, dem Bier aus der Brauerei zu Bratislava.

Und jetzt folgt meine zweite Erkenntnis. Damit jeder Biertrinker weiß, wem er's zu verdanken hat, steht am Straßenrand alle zwei drei Kilometer eine Statue. Die Inschrift lautet zumeist: Pochvalen bud' Ježiš Kristus, also gelobt sei Jesus Christus. Jetzt hat es auch der einsame Radler mit seinem verdreckten Rucksack kapiert: In diesem Land faltet man die Hände zum Gebet.

Apropos Gefälle der March. Es gibt noch ein anderes Gefälle, das weit krasser ausfällt jenes des trennenden Grenzflusses: das soziale Gefälle. Die Dörfer sind dreißig, vierzig Kilometer entfernt von der Hauptstadt Bratislava, und der Kontrast könnte krasser nicht sein. In der Phase des realen Sozialismus bewirkte die topographische Lage im Schatten des Eisernen Vorhanges den wirtschaftlichen Stillstand, Stillstand ist gut, den wirtschaftlichen Ruin: Die Dörfer wurden isoliert, die Betriebe stillgelegt, nichts wurde investiert in den Siedlungen in der Peripherie.

Dann kam die Grenzöffnung von 1989, doch die Öffnung der Grenze hat ihnen überhaupt nichts genützt, weil die Grenze – die March – von den Bewohnern nicht überbrückt werden kann. Und das Hin- und Herschwimmen in der March und ihren Seitenarmen doch eine eher zermürbende und zeitraubende Angelegenheit bleibt.

In den Dörfern mit den breiten Durchfahrtsstraßen sind am Straßenrand Zelte errichtet, wo man Gerümpel und Plunder kaufen kann. Ein paar Läden, in denen kitschige Textilien in den Auslagen hängen. In manchen Dörfern hausen die Zigeuner, dadurch entstehen im dörflichen Zusammenleben die üblichen sozialen Probleme, die die Dörfer alleine nicht lösen können. Und statt der stattlichen Wirtshäuser erblicke ich nur Schenken, in denen die Besucher abgefüllt werden, ich bezeichne sie deshalb als Schankstellen. Sie haben den Charme von österreichischen Tankstellen der Fünfzigerjahre: Der eigentliche Schankraum ist klein und dunkel, im Freien neben der Straße

105

stehen ein paar Bänke und Sessel, auf den Tischen reihen sich die Bierkrügel und die Aschenbecher.

Ein eigenes Kapitel ist Záhorská Ves, und Záhorská Ves ist nicht nichts, sondern der westlichste Ort der gesamten Slowakei. Bis in die späten Vierzigerjahre hieß der Ort Uherská Ves, also Ungarndorf. Und in der Monarchie – die Slowakei gehörte ja in der Monarchie zu Ungarn – hieß er Magyarfalu, die Österreicher im gegenüberliegenden Angern sagten indessen Ungaraiden.

Ungarn ist gut, in Wirklichkeit wurde der Ort von Kroaten gegründet, im neunzehnten Jahrhundert lebten viele Juden hier, sie agierten als Händler und Kaufleute und errichteten sogar eine Synagoge. Heute hausen in Záhorská Ves viele Zigeuner, von den 1600 Einwohnern sind etwa 350 Roma, vor allem über zwei kinderreiche Familien werden viele Geschichten erzählt.

Damals in der Monarchie brachte die große Zuckerfabrik Reichtum und wirtschaftlichen Aufstieg, neben der Zuckerfabrik gab es eine Spiritusfabrik, die brachte wirtschaftlichen Aufstieg und Reichtum. Die Verbindung nach Wien war intakt, es existierte eine Holzbrücke über die March nach Angern, zudem eine Eisenbahnbrücke, jawohl, Záhorská Ves – damals Uherská Ves – war durch die Brücke an das österreichische Eisenbahnetz angeschlossen. Die Brücken ermöglichten rege Kontakte, die aus Angern arbeiteten in der Zuckerfabrik auf der slowakischen Seite, und die aus Uherská Ves verkauften in der Haupt- und Residenzstadt Wien ihre Waren, die sie au dem Schilf der nahen Marchauen fertigten. Und im Jahre 1884 besuchte sogar der Kaiser Franz Joseph den gesegneten Ort an der March.

Es waren die Truppen der Nazis, die im Mai 1945 beide Brücken sprengten, ehe sie sich gegen Westen absetzten. Doch wurde bald nach Kriegsende eine neue Brücke errichtet, die aber noch in den Vierzigerjahren von einem Eisstoß zerstört wurde. Seither verbindet – oder trennt – Angern und Záhorská Ves eine brückenlose Ko-Existenz.

Ich radle neben der ehemaligen Zuckerfabrik vorbei. Sie wurde 1949 geschlossen – »aus strategischen Gründe«, wie mir ein mit einer vollen Einkaufstasche nach Hause radelnder Ortsbewohner erzählt. Und – so erzählt er weiter – aus der Spiritusfabrik wurde die Konservenfabrik »Ryba«.

Bald passiere ich die 2001 errichtete slowakische Grenzstation, in der nunmehr Blumen und Bürowaren verkauft werden und die so deutlich den Funktionswandel von Grenzstationen belegt. Noch ein paar Meter, dann führt die Straße in einer Steilkurve hinunter zur March. Ich lehne das Fahrrad an einen Baum und beobachte das Treiben am Fluß. Die kleine Fähre, die zwischen Angern und Záhorská Ves hin und herpendelt. Die zwei Polizisten, die aus mir nicht bekannten Gründen am slowakischen Ufer postieren. Ihre Tätigkeit dürfte nicht gerade anstrengend sein: Die Fähre legt an, ein einziges Auto fährt vorsichtig an Land, autolose Wanderer oder Radfahrer bleiben aus.

Abb 20: Papier, Bürowaren, Geschenke und Blumen
an der ehemaligen Grenzstation

Drüben auf der Angerner Seite das ebenfalls 2001 errichtete Zollhaus, das vor ein paar Jahren irgendeinen Designerpreis für innovative Gestaltung erhielt. Nun steht es leer und funktionslos, aber dafür preisgekrönt, in der Au herum.

Wieviele Brücken gab es damals, als die Opernsängerin Lucia Popp in Záhorská Ves aufwuchs? Ich weiß es nicht, aber ich weiß, wie viele Brücken heute von Österreich über die March in die Slowakei führen: Keine! Weil wir bleiben unter uns! Es gibt nur die Eisenbahnbrücke in Marchegg, die Straßenbrücken in Marchegg sind längst Geschichte, auch die Holzbrücke in Dürnkrut ist verschwunden, detto die beiden Brücken in Angern. Bleibt nur das kleine Brückerl in Hohenau, das man aber wirklich nur als Notüberbrückung bezeichnen kann.

Im Jahr 1992 sah ich in Angern die alte Holzbrücke. Es war im Juni, das weiß ich genau, weil ich mich an die reifen Kirschen erinnern kann, die ich auf dem Sattel meines Rades sitzend von den Bäumen pflückte. In Angern setzte ich mich in ein Wirtshaus und erblickte auf einem Gemälde an der Hinterwand des Schankraumes die alte Holzbrücke. Ein älterer Dorfbewohner erzählte mir die Geschichte mit der Brücke und der Eisenbahn und der Zuckerfabrik auf der slowakischen Seite. Dann führte er mich ans Ufer der March. Zu meiner Überraschung sprach er slowakisch, vor 45 haben viele in Angern slowakisch gesprochen, es gab auch Slowaken, die Felder auf der österreichischen Seite besaßen. Als auf der anderen Seite der March zwei Frauen auftauchten, stimmte der Mann ein slowakisches Lied an und winkte zu den Frauen hinüber. Sie achteten nicht auf ihn, man könnte meinen, sie drehten sich demonstrativ weg.

Jahre später besuchte ich wieder jenes Wirtshaus. Das Bild mit der Holzbrücke fand ich nicht mehr, und alten Leuten, die slowakisch sprachen, begegnete ich leider auch nicht mehr.

Kurz nach meinem ersten Besuch erfolgte in Angern eine »Volksabstimmung«. Die Mehrheit – 60% – votierte gegen den

Bau einer neuen Brücke. Angern hat 3176 Einwohner und liegt 154 Meter über dem Meer. Immerhin, am 6. Mai 2001 wurde ein Zollamt gebaut – das mit dem innovativen Designerpreis – und die Fährverbindung mit dem Minischinakel eröffnet. Am 21. Oktober 2007 gab es neulich eine Volksabstimmung. Nun plädierten 60% für den Bau einer Brücke. Im Frühjahr 2010 soll mit dem Bau begonnen werden. Wer es glaubt, wird selig, pochvalen bud' Ježiš Kristus.

Von meinem Grenzbeobachtungsposten an der Marchrampe radle ich wieder zurück. Daß ich nicht vergesse, die Opernsängerin Lucia Popp kam aus Záhorská Ves, sie wurde hier 1939 geboren, 1993 starb sie in Wien. Sie dürfte sich eher als Bürgerin von Bratislava gefühlt haben. Bekannt wurde ihr Satz: »Jeder richtige Preßburger hat in Wien eine Tante«. Und über ihre Tante in der österreichischen Bundeshauptstadt gelang ihr noch als junges Mädchen die Übersiedlung nach Österreich. Heutzutage würde eine ähnliche Übersiedlung wohl kaum gelingen.

Nach Záhorská Ves trete ich kräftig in die Pedale, um nach Vysoká pri Morave, auf gut Deutsch »die Hohe« zu gelangen. Und das stimmt, liegt doch der Ort auf einem kleinen Plateau, auf einer Terasse oberhalb einer Marchschlinge. Doch schon wieder die Probleme mit dem Fluß. Der Ort mit dem wunderschönen Namen hat keine Bezüge zur March: Keine Uferwege, keine Bootsanlegestelle, keine Schankstellen mit Blicke auf das Wasser. Mit Rudern oder Schwimmen wird man in Vysoká nicht weit kommen.

Auf meinem Rad sitzt in der Zwischenzeit der Hunger als unbequemer Gast, und ich bremse vor einer Schankstelle und lehne das Rad an ein Außenfenster. Ich erinnere mich genau, vor drei oder vier Jahren war ich schon in diesem Beisl. Damals konnte man hier noch etwas essen, ich bestellte auf Tschechisch, und der junge Kellner antwortete im tiefsten Weinviertlerisch. »Was is des fia a Sprach was du redest«.

Heute gib's nichts mehr zu essen, es gibt auch keinen Kellner, hinter der Bar werkt ein Mädchen, es gibt auch keinen Kaffee, so bitte ich höflich um ein Mineralwasser. Da bin ich aber die glorreiche Ausnahme im gesamten Lokal, alle anderen trinken den Zlatý Bažant. Die vier straßenseitigen Holztische – glattes Holz, keine Tischtücher, keine Bierdeckel – sind gut besetzt, vor dem Lokal hocken drei Romabuben und starren auf mein Fahrrad. Die eiserne Gittertüre der Schankstelle ist mit einem Schnürl an den Riegel des Außenfensters gebunden. Ich nehme die Flasche von der Bar, stütze mich ans Rad und leere in zwei drei kräftigen Zügen die Flasche. Dann trage ich sie zur Bar zurück. Beim Verlassen verabschiede ich mich mit einem vollgestrichenen »dovi«. – »Dovi!« grinsen die Romabuben zurück.

Nach Vysoká fahr ich doch auf dem Radweg weiter, ich war jetzt stundenlang auf verkehrsreichen Autostraßen unterwegs und ich freue mich schon auf eine einsame Fahrt im Augebiet. Nach sechs oder sieben Kilometer endet der Radweg in einem der Seitenarme. Na wunderbar, mein Rad steht bis zu den Kränzen im Wasser, schnell umdrehen und wieder raus aus der Wasserfalle, ja nicht Absteigen, sonst bin ich selber naß bis zum Knie. Raus aus der Falle, im Trockenen kann man gut Schimpfen, diesmal müssen die Planer des Radweges herhalten, diese Gauner, diese fachunkundigen Pfuscher. Dann schiebe ich meine Genesis wacker durch ein Getreidefeld, bis ich nach einer halben Stunde im Schweiße meines Angesichtes eine asphaltierte Straße erreiche. Hinauf auf den Sattel, und nach ein paar Kilometern sehe ich linker Hand das »Bufet u Stareho Bicykla«, das »Buffet zum Alten Fahrrad«. Juchu, nichts wie hinein, hier gibt's sogar einen Kaffee, und als ich das Heferl hinaustrage und nach einem Platz suche, winkt mich ein Slowake zu seinem Tisch.

Gesprächig und leutselig sind sie in den Dörfern. Kaum radle ich an einer der vielen Schankstellen vorbei, schallt ein vielstimmiges »dobry« – die Kurzform des bekannten Grußes – an mein

Ohr. Das Komplementärkürzel zum dobry ist das schon erwähnte dovi, bitte mit w aussprechen: So schallt es, wenn man einen Raum verläßt, dovi ist die Kurzform für das verabschiedende do videnia. Das Verabschiedende ist dabei als Adjektiv zu interpretieren, im Gegensatz zu dem vorher gesichteten »Ausbauenden«

Also gesprächig und leutselig. In Vel'ke Levare steige ich vom Rad und mustere erst die Šenk u Habanu, also die Schenke bei den Habanern, sodann die kürzlich restaurierten Grundrisse eines alten Habanerhauses. Ein sein Fahrrad schiebender Slowake bleibt stehen und mustert wiederum mich. Dem unvermeidlichen Tratscherl kann ich nicht entkommen.

Wir starten mit den Elementerfragen der Ersttratschung: Wohinwoherzuwas. Dann folgen ein paar Sätze über die Habaner, die in Österreich als Wiedertäufer bezeichnet werden. In der Zwischenzeit habe ich gemerkt, daß am Fahrrad meines Tratschpartners ein kleines zweirädriges Wagerl angehängt ist, im Wagerl liegt ein Faß. »Was ist da drinen? frage ich. Milch?«-»Woher denn, ein Faß!« – »Für Bier?« – »No freilich für Bier!« Dann verabschieden wir uns mit einem »dovi«, und fröhlich schiebt er sein Rad, an dem ein Wagerl mit Bier angehängt ist.

Ab der Schankstelle »U Stareho Bicykla« – zum Alten Radfahrer – bilde ich mit dem Slowaken, der mich zu seinem Tisch gewunken hat, ein binationales Bicyklistenduo. Er trinkt sein Bier der Marke Stein, ich meinen Espresso der Sorte unbekannt, dann radeln wir tratschend nach Devínska Nová Ves. Da ich die Tratschung auf Tschechisch führe, fällt mein neuer Freund in die ihm durchaus geläufige Sprache des Nachbarstaates[2]. Er erzählt mir, daß die Radfahrer in der Slowakei Helme tragen müssen. Ježiš Kristus, ich trage natürlich keinen Helm, und beinahe hätte ich beim Radeln die Hände zum Gebet gefaltet, da ich sicher drei oder viermal Polizcistreifen passiert habe. Dann reden wir übers Hochwasser. Einige Dörfer in Mähren sind von der March überschwemmt, auch die Radwege in den Marchauen kann man nicht benutzen – aha, deshalb endete mein Weg im Wasser. Mein neuer Freund will heute noch hinüber auf die andere Seite der Donau nach Petržalka, und morgen weiter ins Österreichische Hainburg. Ich antworte, daß ich mit dem Zug nach Wien zurückfahre. Obwohl ich dreimal erwähne, daß ich den Bahnhof in Devínska Nová Ves längst kenne, eskortiert mich mein Ko-Radler bis zum Bahnhof. »Sperr die Kette zu!« rät er mir vor dem Bahnhofseingang und zeigt auf meine Genesis. »Trink für mich ein Bier!« antworte ich zum Abschied.

Eigentlich finde ich es schade, daß mir die Slowakei nicht ein paar Kilometer mehr an Grenze gestattet, ich hätte gern noch weitergetratscht, aber offenbar haben auch binationale Radlfahrten ihre Grenzen.

Drinnen im Bahnhof sollen gemäß den angeschriebenen Arbeitszeiten die Kassen besetzt sein. Ich sehe hinter der Glaswand keinen Menschen. Ein Mitwartender gibt mir den heißen Tip: Versuch doch einen Klopferer. Ich klopfe an die Glaswand. Wie sagt man: die Leere gähnt. Kurz vor Ankunft des Zuges nach Wien taucht hinter der Glaswand ein nettes Mädchen auf. Ich möchte einen Fahrschein – listok – nach Wien kaufen und zeige ihr die Vorteilskarte. Acht Euro vierzig, sagt das nette Mädchen.

Das erwähne ich deshalb, weil ich genau drei Tage vorher mit der Waldviertler Verwandtschaft von Bratislava nach Wien gefahren bin. Ich zahlte für die weit längere Strecke genau 7 Euro 72 Cent. Und das ohne Vorteilskarte. Es leben die Unterschiede.

Devínska Nová Ves ist bipolar. Die Herrschaft der Panelaks, die so gnadenlos und so absolut ausfällt, daß die hochragende Stereotypie des Straßenbildes mich zersetzt, mich auflöst, bis ich als Compagnon des Nichts die letzte Kurve kratze. Am Anfang meiner Besuche hielt ich mich ausschließlich im Rayon der Panelaks auf, da Martin Leidenfrost in einem Plattenbau beheimatet ist. Erst später entdeckte ich das zweite Gesicht von Devínska Nová Ves: Die Hauptstraße mit den verbliebenen Häusern aus dem 19. Jahrhundert, auf der rechten Seite das Zollhaus aus der Monarchie, das man schon daran erkennt, weil es wie ein Zollhaus aus der Monarchie ausschaut. Vom Zollhaus führte die Reichsstraße zur ehemaligen Brücke über die March, dann fuhr man damals weiter nach dem auf der Hauptverbindung gelegenen Schloßhof und von dort schlussendlich in die Haupt-und Residenzstadt Wien.

Am nächsten Tag fahre ich mit dem Zug nach Devínska Nová Ves und wandere zu Fuß weiter in die Kleinen Karpaten. Das klingt fast ein bisschen hochalpin, ist aber das genaue Gegenteil, weil der Weg führt mich auf den Sandberg, der auch auf Slowakisch Sandberg heißt und demzufolge aus Sandstein besteht. Oben am Sandberg mit seinen vielen Löchern und den zahlreichen Vogelbrutstätten steht eine kleine natürliche Rampe mit herrlichen Blicken auf die Marchauen und ins Marchviertel. Auf der Rampe haben Martin Leidenfrost, der Chronist der »Welt hinter Wien« und ich dereinst einen der Würde des Ortes entsprechenden Wodka getrunken. Heute marschiere ich wodkalos weiter, der Weg führt unterhalb der zu den Kleinen Karpaten gehörenden Kobyla in den Ort Devín. Längs des gesamten Höhenweges: Herrliche Ausblicke ins Marchfeld, in die bis Wien reichende gestaltlose Senke, die sich als Abwesenheit von Landschaft konturiert, als undefinierbare Platte, als flaches Kontrastprogramm zu den hohen Plattenbauten von Devínska Nová Ves .

Noch ein kleiner Halbbogen, und ich erreiche Devín[3]. Ein ruhiges beschauliches Dorf, auf der einen Seite die schon erwähnte Kobyla, die Stute, auf der anderen Seite die Ruine Devín. Ein bescheidenes Dorf ohne besondere Ansprüche, hier lohnt sich tatsächlich ein Halt, hier sollte man Ausspannen, wie vor 100 Jahren die Fuhrwerker ausgespannt haben, dem

Stallbuben ein Bier bezahlt und für ein paar Stunden der Sonne ins Antlitz geblinzelt haben. Gerade der unspektakuläre Ort vermittelt die reizvollsten Eindrücke, im Detail finde ich bei jeden zweiten Haus Überraschungen, und es fehlen die scheußlichen Hotelketten, die monumentalen Panelaky und die ausufernden Baumärkte.

Nein, ich will nicht hinunter nach Bratislava. Ich kenne die Stadt viel zu gut, und so fällt mir überhaupt nichts Brauchbares ein, um diese Metropole zu beschreiben. Wie gesagt, über Bratislava fällt mir nichts ein. Na gut, eine Anektode möchte ich erzählen. Als dereinst Walter Persché als Kulturattachee in Bratislava amtierte, fragte ich ihn nach einer Person, die alle drei Sprachen der Stadt beherrsche: also deutsch, slowakisch und ungarisch. Und so kam ich zur Telefonnummer von František Gervai. Ich erwischte ihn von Wien aus, wir vereinbarten ein Treffen in seiner Wohnung in der Brnenska. Um halb zehn klingelte ich an der Haustür, oben öffnete sich ein Fenster, ein älterer Herr beugte sich aus dem Fenster und deklamierte im reinsten Burgtheaterdeutsch: »Warten Sie einen Moment junger Mann ich komme sogleich hinunter!«

Während des längeren Gespräches erzählte er mir die Ursachen seiner Dreisprachigkeit: Sein Vater war Slowake, deshalb konnte er slowakisch. Sein Kindermädchen, das ihn mehr oder weniger aufzog, war eine Ungarin, deshalb konnte er ungarisch. Und er besuchte das Wiener Reinhard-Seminar, deshalb konnte er Burgtheaterdeutsch. Nach der Machtergreifung der Kommunisten war's aus mit seinen Wiener Theaterträumen, aber sein Burgtheaterdeutsch blieb ihm durch die nun einsetzte Kontaktsperre mit österreichisch sprechenden Menschen unbeschadet erhalten.

Also nicht nach Bratislava, nein, ich gehe hinüber zur Ruine Devín. Auf einem steilen Felsen oberhalb des Zusammenflusses von March und Donau markiert sie einen strategischen

Eckposten des slawischen Einflussbereiches. An der Kasse rede ich »tschechoslowakisch« und erhalte die billigere Eintrittskarte, streife langsam über die Wege auf der mächtigen Felsenlandschaft, erreiche das Steingeländer des Plateaus und blicke hinunter. Genau unter mir fließt die March in die Donau, die Morava in den Dunaj. Fast senkrecht ragt von unten der Felsen empor bis zur in den Felsen angepaßten oder in den Felsen eingebauten Ruinenlandschaft. Diese Blicke vom einstigen Bollwerk des Großmährischen Reiches, wohl auch errichtet gegen etwaige germanische Sturmscharen auf ihrem Drang nach Osten, diese Blicke nehme ich zum Anlaß, unter diese Etappe den Schlussstrich zu ziehen und auf dem Fußweg längs der March zum Bahnhof in Devínska Nová Ves zu schlendern. Der Zug braucht von dort 45 Minuten nach Wien, und wenn ich ein bisschen Glück habe, kann ich am Bahnhof auch eine Fahrkarte kaufen.

Abb 21: Ausblick von der Burgruine Devín

Anmerkungen

1 Die March heißt sowohl auf Tschechisch als auch auf Slowakisch Morava. Von ihr leitet sich der Name eines der beiden Länder Tschechiens ab: Mähren heißt ebenfalls Morava. Im Deutschen kommt die March hingegen von der Mark, also von der Grenze. Und in der Tat bildete die March mehr als tausend Jahre eine natürliche Grenze zwischen den »Deutschen« und den »Slawen«.

2 Freilich existieren Unterschiede in den Sprachen der beiden Nachbarländer, die von 1918 bis Ende 1992 einen gemeinsamen Staat bildeten. Vom Klang her ist das Slowakische weicher und vokalischer, es kennt nicht die rollende Härte des Tschechischen. Es gibt jedoch auch lexikalische Unterschiede. So radelte ich im Tschechischen auf einem kolo, im Slowakischen benutzte ich hingegen ein bicykl. Die Monate tragen in Böhmen und Mähren tschechische Namen, so heißt der November »listopad«, also Blätterfall. Die Slowaken verwenden hingegen wie auch die Russen und die Serben die lateinischen Bezeichnungen. Im Allgemeinen sind jedoch die Unterschiede nicht allzu gravierend. Bei vorausgesetztem guten Willen kombiniert mit minimalem sprachlichen Entgegenkommen kann man einander recht gut verstehen.

3 Ich mag die deutsche Übersetzung »Theben« nicht, da sie von einer völlig missglückten Eindeutschung des slawischen »Devin« oder »Děvin« zeugt. Wie schön wäre eine wörtliche Übersetzung, die auf ein Mädchen oder auf eine Maid verweisen würde.

Pannonische Perspektiven

Zum zweiten Mal starte ich mit einem flauen Gefühl: Mit dem Rad will ich ins Ungarische hinüberradeln, und Ungarn ist mir leider fremd, ich war schon 15 Jahre nicht mehr in diesem Land, und in den ungarischen Grenzgebieten war ich überhaupt noch nie. Und das flaue Gefühl vor dem Start mit der Genesis sollte sich später leider rechtfertigen.

Mit dem Zug und dem Rad im Radabteil des Zuges fahre ich nach Bratislava, genauer nach Petržalka, dem südlich der Donau liegenden Teil von Bratislava. Seit dem Jahr 1978 wurde dort durch eine Unzahl von Plattenbauten – panelaky – Wohnraum für 120.000 Menschen geschaffen.

Auch dieses Petržalka ist ein eigenes Kapitel, das sich nicht ganz in meine Grenzwanderung einreihen läßt. Als Petržalka noch Engerau hieß und zum Großdeutschen Reich gehörte, gab es in diesem Donauwinkel außer den Donauauen ein paar verstreute Bauernhöfe, ein paar Ausflugsrestaurants und eine riesige Pferderennbahn. Als dieses Engerau noch Ligetfalu hieß und auf ungarischem Territorium lag, wurde die Preßburgerbahn gebaut, die auch an einer Station »Ligetfalu« hielt. Dann überquerte die Preßburgerbahn auf der Franz-Josephs-Brücke die Donau und erreichte Poszony, die alte ungarische Königsstadt. Weiter führte die Trasse durch die Baross Gabor Utca und die Rozsa Utca bis zum Krönungshügelplatz. Der hieß so, weil auf dem mit Erdreich aus den verschiedenen Teilen Ungarns aufgeschütteten Hügel die ungarischen Könige mit symbolischen Schwerthieben in die vier Himmelsrichtungen schworen, Ungarn stets gegen alle Feinde der Nation zu verteidigen. Und bei diesem Krönungshügelplatz wendete die Preßburgerbahn, dann kehrte sie über die Franz-Josephs-Brücke nach Wien zurück.

Somit habe ich meine Achtung erteilt der ehemaligen ethnisch gemischten Stadt, zu der die Deutschen Pressburg, die Ungarn Poszony und die Slowaken Prežporok sagten. Bratislava gab's bis 1919 nicht, die Bezeichnung ist eine slowakische Konstruktion, mir hätte das damals ebenso ventilierte Wilsonovo besser gefallen, der damalige amerikanische Präsident läßt schön grüßen, aber mich hat ja damals niemand gefragt.

Zurück zum Bahnhof in Petržalka. Ich steige aufs Rad, fahre ein paar Meter nach Westen, dann erblicke ich schon auf der rechten Seite das Fußballfeld. Hier – vor dem ehemaligen Semperit-Gebäude – wurden am Gründonnerstag des Jahres 1945 jene Juden versammelt, die in den umliegenden Ställen gehaust haben – etwa 2000 an der Zahl. Sie waren aus Budapest nach Petržalka verschleppt worden, um den Südostwall der Nazis zu errichten. Als die Rote Armee bereits vor Petržalka stand, am 29. März um zehn am Abend, wie gesagt am Gründonnerstag, begann vor dem damaligen Semperit-Gebäude ihr Todesmarsch, der sie über Wolfsberg nach Deutsch-Altenburg führte.

Warum Todesmarsch: Bereits bei der Requirierung vor dem Semperit-Gebäude feuerten die äußerst nervösen Nazis wahllos in die Menge, während des folgendes Marsches wurden vermeintliche Kranke und Alte erschossen und blieben im Straßengraben liegen. Warum ich den Todesmarsch erwähne: Die Mörder waren keineswegs irgendwelche reichsdeutsche Nazis, sondern »Unsrige«, also Ostösterreicher, größtenteils Wiener. Claudia Kuretsidis-Haider hat über die sogenannten »Engerauer Prozesse« geforscht, die sich von 1945 bis zum Jahr 1954 erstreckten und die die Vorgänge rund um die Ereignisse in Engerau untersuchten. Zwanzig Personen wurden dabei angeklagt, neun von ihnen zum Tod verurteilt und hingerichtet.

Soweit zum Bahnhof in Petržalka. Das heutige Petržalka interessiert mich nicht, hier am »Aupark« beim Donauufer herrscht der wild wachsende und alles zerstörende Kapitalismus. Man sollte um ihn neue Grenzen errichten und die religiösen Ausdrücke mit Ergriffenheit verwenden. Einkaufsparadies, Komsumtempel, Erlebnisandacht. Und nunmehr, da der Kapitalismus als zerstörerische Barbarei erkannt wird und diese zerstörerische Barbarei durch die elektronisch gesicherten gates von Petržalka vor den Gaunern und Dieben abgesichert wird, kann man dieses Blendwerk Gottes von Null bis 24 Uhr in seiner Reinheit und Dichte betrachten. Meine Idee: Der Eintritt soll 100 Euro kosten, no was denn sonst, im Kapitalismus gibt's nicht umsonst, schon gar nicht den Eintritt.

Die Panelaks, die Plattenbauten von Petržalka, in ihrer weitläufigen Eintönigkeit und melancholischen Weite mit den ruhigen Teichen und den Schwänen dazwischen, die Panelaks erscheinen als eine das Gemüt erheiternde Zone der Erholung und Entspannung. In ihnen herrscht Klarheit gegen die die verwirrende Geflecht von Schnellstraßen, Einkaufszentren und Beautysaloons. Oder in der gebotenen Kürze: Ich preise die sterile Erhabenheit der Plattenbauten von Petržalka, verglichen mit dem grässlichen »Aupark« an der Donau!

Schnell weiter mit dem Rad auf einem Weg längs der Bahntrasse. Laut meinem Plan könnte er ins österreichische Kittsee führen, ich bin mir aber in Kenntnis der alten Fünfjahrespläne nicht sicher, ob die Wirklichkeit dem Plan entspricht. Ich halte mich immer längs der Bahntrasse, bald verlasse ich die Stadt und fahre unter der Autobahn durch, kleine schmucke Häuser mit Gärten auf beiden Seiten des Weges. Autos dürfen auf dem kleinen Straßerl nicht fahren, nur Anrainer und Radler. Irgendwann befinde ich mich auf einmal in Österreichischem, die Grenze habe ich nicht bemerkt. Was allerdings gleich bleibt: Fahrverbot für Autos. Freilich, die Anrainer wären entsetzlich belästigt, wenn auf einem bisher unbekannten Fluchtweg die Pressburger PKWs Stück für Stück nach Österreich sausen, mit der ländlichen Idylle wär's dann für immer vorbei. Allerdings muß es früher eine funktionierende Verbindung gegeben haben: das Wegerl heißt Preßburgerstraße. Rechts der Preßburgerstraße ein Ortsteil von Kittsee, der sich Chikago schreibt, und wer's mir nicht glaubt, der soll hinradeln und sich die Schilder mit dem »Ka« von Chikago anschaun. Gleich neben Chikago der Friedhof und die Polizei.

Von Kittsee radle ich nach Deutsch-Jahrndorf, die östlichste Gemeinde von Österreich, und somit auch der östlichste Punkt meiner Grenzwanderung, oder in aktueller Abwandlung meiner Grenzradelung. In Deutsch-Jahrndorf die breite Hauptstraße mit vielen Grünflächen, Kriegerdenkmal, Zuckerlautomat, Pestsäule, Lebensmittelgeschäfte, keine Supermärkte.

Weiter auf dem Rad. Ich mustere genau die Landkarte, meide die Hauptstrassen und erwische irgendwelche Seitenwege. Die Aussichten hoch auf dem Sattel sind jedoch nicht gerade erheiternd. Links die Streifen der Felder, die bis zum Horizont reichen, rechts die Streifen der Felder, die bis zum Horizont reichen. Ich komme mir irgendwie pannonisch vor, die Tiefe der pannonischen Eindruckslosigkeit wird nur unterbrochen durch gelegentlich auftauchende Wachtürme, und ich habe keine Ahnung: Sind's Jäger oder Grenzschützer, die da oben mit ihren Zielfernrohren stehen?

Nach Nickelsdorf sollte ich zum ersten Mal mit dem hier virulenten Mythos der »Demontage des Eisernen Vorhanges« konfrontiert werden. Kaum kommt man wohin, stößt man auf ein Denkmal, das auf jene Demontage erinnert. Im konkreten Fall sichte ich zwei Pfeiler, die ein gewaltiges Trumm Stein flankieren. Auf den zugespitzten Pfeilern stehen die Namen der 1989 amtierenden Außenminister Alois Mock sowie Gyula Horn, auf dem Trumm Stein wird auf das Jahr 2004 verwiesen. Was mich nur ein bisschen frappiert: Von einer Grenze ist hier weit und breit nichts zu sehen, da muß man noch ein Stück des Weges gehen oder radeln, bis man tatsächlich zur Grenze kommt. Warum steht das Denkmal völlig bezugslos neben der Autobahn im grenzenlosen Raum herum?

Egal, ich radle weiter auf Seitenwegen, bis ich tatsächlich – das erste mal seit vielen Jahren – nach Ungarn komme, ungarisches Territorium betrete, die rotweißgrüne Farbe sichte, ein Schild mit der Aufschrift »Izten hozott« betrachte. Und wieder dieses flaue Gefühl, diesmal weder in den Muskeln noch im Magen, eher in der Seele, weil meine Bezüge zu Ungarn und zu den Ungarn leider ein bißchen wankelhaft sind.

Abb 22: Erster Blick nach Ungarn

Der Ort heißt Albertkázmérpuszta und liegt in einem von österreichischem Terrain umgebenen Zwickel. Vor der in Relation zur Kargheit des Ortes viel zu großen Kirche lehne ich das Rad an einen Tisch und setze mich auf eines der unzähligen Bankerl, die vor der Kirche aufgestellt sind. Ich trinke einen halben Liter Mineralwasser, dann spaziere ich durch die nähere Umgebung. Aha. Die Kirche ist der Wiener Votivkirche nachgebaut, deshalb ihre in den Himmel reichende Größe. Aha. Der Ort erhielt seinen Namen von einem Albert Kasimir von Sachsen-Teschen, der hier eine große Meierei unterhielt. Und deshalb muß ich mir jetzt notieren: Albertkázmérpuszta. Breit und geräumig ist er angelegt, der Ort, in den schmucken Vorgärten der Einfamilienhäuser blühen die Rosen. Weniger imposant ist die breite Straße, sie besteht aus einer Vielzahl von Schlaglöchern. Aber das dürfte im Moment eher irrelevant sein, weil ich insgesamt nur zwei Autos gesehen habe, eines mit einem holländischen und eines mit einem deutschen Kennzeichen. Das einzige Wirtshaus des Ortes Albertkázmérpuszta hat noch geschlossen.

Ich setze mich wieder auf den Sattel, steuere sorgfältig um die Schlaglöcher und fahre nach Österreich zurück. Ich möchte zur sagenhaften und mythenverwobenen Brücke von Andau.[1]

Die geschichtlichen Hintergründe sind vielen Zeitgenossen vertraut. Das kleine Grenzbrückerl führt über den »Einserkanal«, und nach dem ungarischen Aufstand im Herbst 1956 und dem Einmarsch der Truppen der Roten Armee flüchteten am 4. November 1956 an die 70.000 Ungarn über dieses Brückerl von Ungarn nach Österreich. Das alte Brückerl wurde am 21. November 1956 von der Roten Armee gesprengt, die neue Holzbrücke stammt aus dem Jahr 1996.

Nach der näheren Sichtung der Arrangierung muß ich mich genieren. Die andauernden Verweise auf die Spitzenklasse der helfenden Österreicher und die lobkündenden Hymnen auf die selbstlose Güte der Einheimischen: Schlagzeilen im nationalen Kampfblatt Österreichs klingen so, aber eine Dokumentationsstätte oder eine Gedenkort sollte anderen Prioritäten gehorchen. Nichts erfährt man über das Schicksal der flüchtenden Ungarn, von denen ja einige in Österreich Karriere machen und Spitzenpositionen erreichen sollten; Nichts erfährt man über die tatsächlichen Ereignisse in ihrer historischen Dimension. Hingegen: Eigenlob stinkt, und apropos stinkt, Klosett gibt es dafür keines, die Raststätte ist verwildert, das Bankerl zugewachsen, von einem Mistkübel keine Spur. Dafür erfährt man, wen man hier loben soll: Das österreichische Bundesheer, die österreichischen Exekutivbeamten, das Rote Kreuz, Hilfsorganisationen, Privatpersonen, dann die Firmen, die am Bau der neuen Brücke beteiligt waren. Zudem lese ich auf einer Tafel den falschen und irreführenden Hinweis: »Der Grenzübertritt ist bei Strafe verboten«. Das Aufstellen solcher Schilder sollte bei Strafe verboten werden.

Schnell aufs Rad und weg von der Brücke von Andau, der derangierten Kultstätte der inszenierten Selbstbelobung, und ich trete kräftig in die Pedale, um über Pamhagen endlich ins Ungarische zu gelangen.

Ungarnland, Forintland, HUFland – nach der auf den Bankauszügen aufscheinenden internationalen Abkürzung für die ungarische Währung: HUF. Erste Feststellung: Es gibt mehr Radwege als im Österreichischem. Zweite Feststellung: Es gibt auch mehr Radler als im Österreichischem, die Motive mögen etwas verschieden sein, da auch viele zur Arbeit oder aufs Feld mit dem Rad unterwegs sind. Dritte Feststellung: Die Autofahrer treten nicht so vehement aufs Gaspedal wie die Burgenländer, speziell die Burgenländer mit dem Neusiedler Kennzeichen ND.

Der Nachteil: Die Radwege sind nicht eben, meine zweirädrige Genesis stößt auf oder fällt in Rillen, ein hohes Tempo werde ich beim Tritt in die Pedale also nicht erreichen.

Südlich des Neusiedlersees, der auf Ungarisch nicht Neusiedlersee, sondern Sumpfsee heißt, was seinem Charakter auch eher entspricht als eine Neubesiedlung, was sag ich Sumpfsee, tatsächlich heißt er auf Ungarisch Fertőtó, also südlich des Neusiedlersees in der Gegend um Balf. Endlich habe ich die düstere Perspektivlosigkeit der pannonischen Ebene hinter mir gelassen, linker Hand bilden sich sanfte Hügel, auf den Abhängen wird Wein angebaut, in den prachtvollen Gärten vor den Häusern gedeihen Salate, Paradeiser und Melanzanis, auf dem Grünstreifen zwischen Fahrbahn und Radweg blühen die Engelstrompeten, und beim Radeln streift meine Nase die herüberhängenden gelb-orangen Blüten. Heute schreiben wir den 26. Juni, und der 26. Juni wird eingehen in die Geschichte der Meteorologie mit den heftigen tatsächlich überfallsartigen Gewittern im Burgenland und in Westungarn. Vor dem triefenden Überfall verstecke ich mich in einem adretten Beisl in Balf, die Genesis parkt im Freien, eingekeilt in einem Fahrradständer. Die Fahrbahn dient mittlerweile als reißendes Flussbett für die niedergeschlagenen Wassermassen, aber niedergeschlagen ist höchstens einer, der bin ich am Tisch des adretten ungarischem Beisls beim Studium der Landkarte. Die spärlichen Autofahrer parken längst in irgendwelchen Hofeinfahrten, in einem prekären Rhythmus prasseln die schweren Tropfen auf das Dach des Beisls – nein, sie prasseln nicht, sie pochen, sie hämmern, und das in einem fulminanten Rhythmus. Über der Bar ist das hier obligatorische Schilfdach angefertigt, in der Mitte des Raumes steht der Billardtisch, die Gastschaft besteht aus drei jungen Männern, die an der Türschwelle stehen und mit Furchen im Gesicht dem Gewitter zuschauen. Als ein Blitz in der Nähe einschlägt, wird die Stromleitung unterbrochen, der Fernseher gibt seinen Dienst auf. Nach einer halben Minute sieht man wieder die hüpfenden girls einer schrillen Girlieband.

Ich bestelle ein Balfi, das Mineralwasser aus Balf. Nach den ersten Schlucken notiere ich. »Die ungarischen Dörfer sind interessant, weil das eine mit ungarisch – kroatischen Beschriftungen, die nächste mit ungarisch-deutschen Beschriftungen überrascht. Ich weile also im ungarisch-kroatisch-deutschen Mischgebiet. Einige ungarische Wörter verstehe ich, da sie offenbar dem Slawischen entlehnt sind, wie kapor (Dille) oder patok (Bach). Und das Bier im Lokal ist ein kozel, also ein Bock.« Ende meiner linguistischen Aufzeichnungen, ich bestelle noch einen Espresso.

Was nicht aufgezeichnet wird und wegen des Gewitters verfällt: Die Sache mit dem schon erwähnten Südostwall. Ja, auch
hier im wunderschönen Kurort Balf zwangen die Nazis und die
ungarischen Pfeilkreuzler die Budapester Juden zum Bau des
total überschätzten Abwehrwalls. Ja, auch hier in dem Ort mit
dem Storchnest auf dem Telegrafenmast sind viele Lager-
insassen ermordet worden, unter anderem die bekannten ungarischen Autoren László Fenyö und Antal Szerb. In trauriger
Unkenntnis der ungarischen Literatur muß ich die beiden
Autoren unkommentiert und bar jeder klärenden Verweise
zurücklassen, andrerseits möchte ich die Erwähnung ihrer
Namen nicht missen, da ich bereits im tschechischen Teil meiner
Wanderung auf die einst bekannten und nunmehr vergessenen
Dichter meine Aufmerksamkeit richtete.

Die Verfolgung und die Ahndung der Täter von Balf erfolgte
mit halbem Engagement. Man überließ zumeist den deutschen
Nazis die Schuld und die Verantwortung und hinterfragte kaum
die Tätigkeit der ungarischen Pfeilkreuzler. Und die faschistischen Pfeilkreuzler stehen im heutigen Ungarn wieder hoch im
Kurs, eine Partei, die sich auf die Pfeilkreuzler beruft, die Partei
»Jobbik«, erreichte bei den Europawahlen am 7. Juni 2009 15 %
der abgegebenen Stimmen.

Doch einmal muß jeder bezahlen, und bei mir beträgt die
Rechnung exakt 400 Forint. Meine Versuche, die Zahlen auf
Kroatisch anzugeben, stoßen auf verständnislose Mienen, also
bleib ich beim Deutschen, das versteht hier jeder: 420 Forint.
Draußen im Regen blicke ich wehmütig auf mein nasses Fahrrad,
auf meine tropfende Genesis: Heute wird's wohl nichts mehr
werden. Dankbar nehme ich das schon vorher registrierte
Angebot des Nachbarhauses an: 18 Euro für Quartier und
Frühstück.

Am nächsten Morgen – wir schreiben den 27. Juni 2009 –
fahre ich die paar Kilometer nach Fertörákos. Fast alle Orte hier

am Neusiedlersee – Fertötó – heißen Fertö mit suffigierter ungarischer Vollendung. In Fertörákos biege ich nach links ab und halte auf dem Gelände des Paneuropafrühstücks von 1989.

Ein mythologisch stark aufgeladener Fleck, ein mit Symbolen überwuchertes Stück Wiese. Hier fand direkt an der ungarischen Grenze am 19. August 1989 das »paneuropäische Picknick« statt, gegen 15 Uhr schlüpften die ersten Ostdeutschen durch den »Eisernen Vorhang« nach Österreich: Zum ersten Mal in seiner Geschichte wurde der »Eiserne Vorhang« gezielt durchbrochen.

Ich lehne das Rad an eine der vielen Linden, die zu Ehren von Széchenyi István und seiner Akademie der Wissenschaften gesetzt wurden und mustere die Gegend. Allerlei Objekte stehen ein bisschen deplaciert herum, man könnte meinen, niemand habe aufgeräumt und Ordnung gemacht, und ein wenig planlos und verlassen verweisen die Objekte auf einen eher lässigen und würdelosen Umgang mit der Vergangenheit. Weiter vorne zwei nachgebaute Grenzbalken, im Österreichischen ein kleiner Stein, den an den Vertrag von Trianon[2] erinnert, im Ungarischen ein japanischer Brunnen, der bereits demontiert oder gestohlen wurde und von dem nur mehr die nackte Pumpe übrigblieb, dann ein Glockenturm mit der ungarischen Fahne. Nichts paßt zusammen, und gerade dieses wahllose Durcheinander macht den Umgang mit dem Mythos »Stacheldraht« wieder symphatisch.

Apropos Mythos und Lüge. Auf einem etwa einen Meter hohen Granitstein im Österreichischen steht folgender Text: »An dieser Stelle durchschnitten am 27. Juni 1989 die Außenminister Alois Mock für Österreich und Gyula Horn für Ungarn den sogenannten »Eisernen Vorhang«. Da stimmt so einiges nicht. Einmal wurde mit der offiziellen Demontage des »Eisernen Vorhanges« schon viel früher begonnen. Am 2. Mai 1989 in Hegyeshalom starteten Soldaten der ungarischen Volksarmee ihr grenzzerreißendes Werk. Die dieses Werk dokumentierenden

Fotos von Bernhard Holzner wurden jedoch in Österreich kaum beachtet, also drängte der Fotograf in Kooperation mit dem Pressebüro von Alois Mock – der von den ungarischen Behörden nach Hegyeshalom gar nicht eingeladen wurde – auf eine Wiederholung des Vorganges der erstmaligen Demontage.

Und die zweitmalige Demontage fand aber nicht bei Fertörakos statt, sondern im 10 Kilometer entfernten Klingenbach. Ein Stück Stacheldraht war dort noch vorhanden, vielleicht wurde er in der Nacht davor noch schnell aufgestellt. Den beiden Außenministern drückte man äußerst lange Zangen in die Hände, sie machten sich mit historischer Miene ans Werk – die dabei entstandenen Fotos werden seither zum Kanon »Bilder machen Weltgeschichte« gezählt.

Abb 23: Dieses Bild ist Weltgeschichte

Und der Marmorstein mit dem falschen Text steht auf einer kleinen Picknickwiese zwischen Fertörakos und Sankt Margarethen, wo am 19. August etwa 100 bis 150 ostdeutsche Staatsbürger das

»Tor von Sankt Margarethen« aufgerissen haben und nach Österreich geflüchtet sind. Auf den zwölf Schautafeln längs eines Grenzweges, der schlussendlich zu einem Wachturm führt, blicke ich auf ein paar Fotos der damaligen Ereignisse: Die Paneuropabewegung von Otto Habsburg, die dieses Picknick gezielt vorbereitete und organisierte, Flugzettel wurden an die am Palaton urlaubenden ostdeutschen Staatsbürger verteilt. Die paar Volkspolizisten an der Grenze unternahmen keine Versuche, die Flucht der Ostdeutschen zu verhindern. Und in Österreich wurden die ihre ostdeutschen Autos zurücklassenden Flüchtlinge mit folgender Tafel empfangen: »Sie sind in Österreich. Keine Gefahr mehr. Wir helfen«.

Ein bisschen irritiert setze ich mich auf eines der Bankerln. Sie sind in Österreich. Keine Gefahr mehr. Wir helfen.

Zwanzig Jahre danach berichtet das nationale Kampfblatt in Österreich von den Ostbanditen und fordert zur Wehrbereitschaft gegen das Ostgesindel auf. Vor allem in den Leserbriefen wird die Errichtung einer gesicherten Grenze gefordert. Ich setze hinzu, man sollte den neuen Schutzwall in Anlehnung an die alte ostdeutsche Diktion als Antiostbanditenschutzwall bezeichnen. Und wird in Österreich eine Volksabstimmung abgehalten: »Brauchen wir einen neuen »Eisernen Vorhang« an unseren Ostgrenzen?«, so bin ich mir nicht sicher, zu welchen Ergebnissen dieses Votum führen könnte.

Mein absoluter Lieblingsleserbrief des nationalen Kampfblattes – ich habe ihn im Rucksack mitgenommen, damit ich gelegentlich interessierten Ungarn die Stimmungslage in Österreich zeigen kann – stammt von Herrn Johannes Vörös aus Mattersburg. Der schrieb am 17. Mai 2009: »Vor drei Wochen war ich geschäftlich in Polen. Ich fuhr mit dem Auto durch die Slowakei und Tschechien bis nach Warschau. Ich wurde kein einziges Mal aufgehalten und kontrolliert. Genauso ist es umgekehrt. Die Kriminellen kommen, erledigen ihre »Geschäfte« und sind dann wieder weg. Offiziell haben sie unser Land nie betreten! Wenn uns das nicht zu denken gibt!« Das denkt sich Herr Johannes Vörös aus Mattersburg.

Und heute schreiben wir den 27. Juni 2009, und vor genau 20 Jahren fand dieses grenzbrechende Ereignis statt. Eigentlich hätte ich irgendwelche Feierlichkeiten erwartet, mit Blasmusik, Freibier und Politikerreden, aber ätsch, die hab ich um einen Tag verpaßt. Seltsamerweise wurde bereits am Vortag, also am 26. Juni 2009, des Grenzdurchbruchs gedacht, und so hab ich mir wenigstens den Massenauflauf erspart und kann in aller Ruhe den Ort des historischen Geschehens betrachten.

Und dann hinauf auf den Sattel die paar Kilometer nach Sopron geradelt. Zuerst muß ich den etwa einen Kilometer dicken Speckgürtel passieren. Im Speckgürtel haben sich festgesetzt und eingenistet: Plastische Chirurgie, Thai-Massage, Eros-Center, Sopron-Plaza, Schöne-Welt-Dental, Zahnimplant, Cinemacity.

Gott sei Dank ist die Altstadt mit ihren alten Patrizierhäusern nahezu unverändert erhalten, nur selten hat eine österreichische Bank durch Gestalt und Fassade des Hauses als Ausdruck der westlichen Überlegenheit einen Bruch ins historische Ensemble gerissen. Ich radle auf den Fö ter, lehne das Rad an eine Statue, nehme im Kaffeehaus Platz und bestelle eine Melange um 300 Forint.

Als ich in den frühen Achtzigerjahren ein paar Mal nach Sopron gefahren bin, hieß der Ring um die Altstadt noch Lenin-Körut. Beim allerersten Besuch interessierte ich mich vor allem für das kakanische Postgebäude auf dem Széchenyi ter. Damals wettete ich mit meinen Freunden um eine Flasche Rotwein, daß das Postgebäude ein Werk des ungarischen Architekten Ödön Lecher sei. Allerdings scheiterte ich beim Nachweis meiner These. Ich erkundigte mich auf der Post selber, im Ibusz, dem staatlichen Reisebüro, bei anderen Informationsstellen: Niemand kannte den Architekten der Hauptpost. Also mußte bei ungelöster Wette jeder den Rotwein selber zahlen.

Und das war auch der zweite Grund für meine damaligen Fahrten nach Sopron: der Blaufränkische, der kékfrakos, der mir im Ungarischen ausgezeichnet mundete und der natürlich auch um einiges billiger war als im Österreichischen. Das führte zu der unangenehmen Situation, daß jahrelang, wenn ich von ein paar Begrüßungsformeln absehe, kékfrankos das einziges Wort war, mit dem ich in Ungarn antworten konnte.

Übrigens hätte ich die Wette verloren. Bei den Vorbereitungen zu meiner Ungarn-Reise fand ich in meinem Archiv die Visitenkarte des Hotels Lövér in Sopron. Auf die Karte hatte jemand mit Kuli geschrieben: Hauptpost Széchenyi Pl. 1911 – 1913 Ambrus Orth, Emil Somló. Aha. Und jetzt bin ich gescheiter. Ohne oder mit t am Schluß.

Ich sitze noch immer entspannt bei meiner Melange am Fö ter und blicke auf die einstöckigen Patrizierhäuser und den Feuerturm und ein bisschen gespannter auf mein angelehntes Fahrrad. Unter dem Feuerturm nimmt ein Geigenspieler Platz, vor seinen Füßen stellt er einen breitkrempigen Hut auf die Pflastersteine. Der erste Bettler, den ich auf meiner Grenzwanderung treffe. Als ich nach dem Zahlen zu meinem Rad schreite, rennt mir jemand strategisch in die Quere. »Change Forint to Euro«. Früher gab ich mich in solchen Situationen zumeist als Tscheche oder noch besser als Russe aus, was mein gegenüber zumeist mit einem »maybe next time« quittierte. Heute schüttle ich energisch den Kopf. Dann der Geldwechsler: »Change Euro to Euro«. Ich trete kräftig in die Pedale, dann werfe ich so manche überraschten Blicke in die hergerichteten Innenhöfe, gewahre dort einmal Reste der alten Bernsteinstraße, dann wieder alte Brunnen, konstatiere, daß die Beschilderung der Straßen zweisprachig – ungarisch und deutsch ist, und erreiche nach mehreren Kurven den Bahnhof der Gysev[3] in Sopron.

Ich vertrete mir die Füße auf dem Bahnsteig und betrachte den Fahrplan. Tatsächlich, um 9:02 fährt ein Zug nach Puchberg am Schneeberg, der um halb elf in Puchberg ankommt. Als Schneeberg-Veteran weiß ich, daß zwischen Bergstation und Gipfelkreuz zumeist Ungarn – manchmal mit Plastiksackerln – herumrennen, die die ausgedehnte Militäranlage auf dem Klosterwappen für das imposante Gipfelkreuz halten. Freilich ist der Schneeberg das erste hochalpine Arrangement für die Flachland-Veteranen, und mit dem Zug der Gysev in Kombination mit der Zahnradbahn kann man locker innerhalb eines Tages die Hin- und die Rückfahrt schaffen.

Apropos Berg. Ich trete kräftig in die Pedale und fahre nach Brennerbergbanya, zu Deutsch auf den brennenden Berg. Kohle wurde dort abgebaut, mit hohem Brennwert, in geringer Tiefe geschürft. 1753 begann man mit dem Abbau, die Kumpel holte man aus Tschechien und der Steiermark, der Berg ist durch die Vielzahl von Stollen nahezu durchlöchert und durchsiebt.

Ich parke vor der Bergwerkskirche und werfe einen Blick in die Wirtsstube, die in die Vorderseite der Kirche eingebaut ist. Neben der Tür sind ein zwei Bergwerkswagerl abgestellt, aus den Wagerln wachsen meterhohe Sträucher. Nein, nach drei vier Blicken: lieber kein Schritt in die Wirtsstube in der Kirche, dafür besichtige ich das benachbarte Kulturhaus. Dort finde ich folgendes reizende Gedicht. »Im brennenden Berg laß träumen den Zwerg. Wohl viel tausend Jahr, das ist sicher auch wahr. Im brennenden Berg ein Bergmandl saß, es hatte der Zwerg nur Kohlen zum Fraß.…Noch immer schreits Mandl bei an Loch wo heraus: Mit den Kohlen im Brennberg ist's noch lange nicht aus«.

Aber aber mein lieber Kohlenzwerg: Das Bergwerk wurde 1952 geschlossen.

Ich radle noch ein paar Kehren weiter und besuche das Kohlenmuseum. In der Zufahrt parkt ein Kleinbus, der den Zugang vollkommen versperrt. Ich gehe durchs Nachbarhaus, frage auf Deutsch, ob ich hier zum Museum komme, der Hausbewohner weist mir in gutem Deutsch den Weg und beglei-tet mich fast bis zur Eingangstür.

Abb 24: Bergwerkswagerl vor der Kirche

Und so erfahre ich im Museum, daß das Bergwerk im 19. Jahr-hundert zum Imperium von Alois Miesbach gehörte, der es mit Erfolg in sein Wienerberger Ziegelimperium eingliederte. Dabei wurde die ungarische Kohle auf Kähnen im Wiener Neustädter-Kanal bis zum Wienerberg transportiert. Nach seinem Tod über-nahm sein Neffe Heinrich Drasche – berüchtigt als Ausbeuter übelster Sorte – die ungarischen Kohlenminen.

Jetzt meldet sich aber der Magen, und bei meiner Talfahrt mache ich in Görbehalomtelep bei einem Wirtshaus Halt. Jo nepat! Grüße ich beim Eintritt und setze mich in der überdek-kten Laube an einen hinteren Tisch. Jo nepat! Murmelt es von den Tischen zurück. Die Kellnerin wieselt zehnmal durch die Laube, ohne mich eines Blickes zu achten. Soll ich jetzt andauernd Jo nepat rufen, weil ich »hallo Frau Chefin« nicht auf Ungarisch kann? Jo nepat jo nepat? Dann halten mich die anderen Gäste für einen Vollkoffer – oder für einen Österreicher.

Dann klappt's, und ich bestelle ein Bier und Hirschgulasch. Nach dem ersten Schluck – der Name des Bieres: Soporoni – bin ich mir nicht sicher: Alkoholisch oder nicht alkoholisch? Also der zweite Schluck: Noch immer keine Lösung. Nach dem ersten Krügel bin ich mir nicht sicher, ob ich überhaupt ein Bier trinke oder nur mit Farbstoffen angereichertes Leitungswasser. Nach dem zweiten Krügel hab ich Schädelweh, und ich muß erst einen Espresso und dann eine Melange trinken, um meinen abträglichen Zustand in eine tragfähige Balance zu bringen.

Auf einmal höre ich drinnen in der Stube die Kaiserhymne. Gott erhalte, Gott beschütze, unsern Kaiser, unser Land, was ist jetzt schon wieder passiert, kaum komme ich nach Ungarn, spielen sie mir die Kaiserhymne. Nach den zwei Krügeln muß ich sowieso aufs Klosett, und beim Weg durch die Stube fällt mein Blick auf den Fernseher. Die übertragen gerade irgendein Autorennen, und irgendein Deutscher hat das Rennen gewonnen, und jetzt spielen sie für den Sieger die deutsche Hymne. Und wie klingt die deutsche Hymne? – Auf jeden Fall kann mich in aller Ruhe auf dem Klosett meinem Dringlichen widmen.

Nach dem Zahlen schlängele ich mich durch die Tische zu meinem Fahrrad. Ein Gast spricht mich in fehlerlosem Deutsch an: »Ich entschuldige mich, daß sie hier so schlecht bedient worden sind. Aber das Personal ist neu und kennt sich noch nicht aus«. Kurz bin ich überrascht, dann wende ich mich mit gleicher Höflichkeit zu dem etwa Fünfzigjährigen: »Das macht ja nichts. Dafür habe ich im Fernsehen die alte Kaiserhymne gehört«.

Ich radle weiter, um ins burgenländische Deutschkreuz zu gelangen. Vielleicht waren die Krügel schuld, vielleicht ein ungnädiger ungarischer Gott, ergrimmt über meine Reaktion auf das ungarische Bier. Als ich kräftig in die Pedale trete, um durch die Weinberge nach Magyarfalva zu kommen, da passiert es. Vielleicht habe ich vergessen, die ungarische Gottheit durch das Verkosten des Blaufränkischen milder zu stimmen, aber jetzt ist es zu spät. Auf einmal sticht mein rechter Unterschenkel, besser gesagt, er brennt, er glüht, und nach der Bremsung der Genesis kann ich das rechte Bein nicht mehr bewegen. Muskelfasereinriß, die Symptome kenne ich, seit ich vor Jahren beim Radeln im Waldviertel...

Jetzt könnte ich einen Blaufränkischen gut gebrauchen. Die Genesis lehnt an einem Baumstamm, ich lehne am zweiten Baumstamm, der rechte Fuß baumelt in der Luft, da vorne irgendwo muß Deutschkreuz liegen. Ich sinniere über unverrichtete Dinge im Leben, die viel mehr zum Leben beitragen als das konsequente Durchführung jeder Aktion, und ich summe den Refrain von Schuberts Unvollendeter. Scheitern in Ungarn, das impliziert hohe Qualität, viel höhere Qualität als das schon vielstrapazierte Scheitern in Österreich. Versuchsweise setze ich den rechten Fuß auf den Boden, freilich gelingt es, aber der Muskel brennt, und mit welchem Wein kann ich einen brennenden Muskel löschen. Da läutet mein Mobiltelefon. Heinzi, mit dem ich schon 1990 auf die Wachtürme an der tschechischen Grenze kletterte, Heinzi fragt nach meinem Wohlbefinden.

Nach der Schilderung der Situation antwortet Heinzi: »Bleib in dings oder wie das heißt, ich hol dich mit dem Auto ab«. Darauf ich: »Nein, nicht notwendig, ich rolle auf dem Rad oder kette es an einem Baum und werde autostoppen«...»Nein, nein, ich hole dich mit dem Auto, ich muß nur den Ort im GPS eingeben, also wo liegst du im Straßengraben?« – »In Magyarfalva«.

Zwei Stunden später bremst Christine den Škoda in Magyarfalva, Heinzi sitzt auf dem Beifahrersitz und deutet jubelnd auf sein GPS-Kasterl. Und ich denke mir, so schaut er aus, der Sieg der Technik über ein unvollkommenes und lädierbares Gebilde wie einen Wadlmuskel, der ab einer bestimmten

Belastung nicht mehr funktionstüchtig ist. Was soll ich da noch ernsthafte Bemerkungen machen über den Škoda, der mich und meine Genesis in zwei Stunden zurück ins heimatliche Wien karrt. Und während der gesamten Fahrt sprach Heinzi weder über das Kraxeln auf die Wachttürme noch über den Krieg der Sterne.

So werde ich nie erfahren, an welcher Stelle – irgendwo bei Rábafüzen – mein Jugendfreund Sandor Horvath von seinem Vater in einem Erdäpfelsackerl im Jahre 1956 nach Österreich getragen wurde.

Anmerkungen

1 Den Weg zur Brücke säumen Skulpturen, die im Rahmen von Symposien mit dem Titel »Die Brücke von Andau« entstanden sind. Diese Symposien wurden zwischen 1992 und 1996 vom Hrdlicka-Schüler Franz Gyolcs organisiert. Eingeladen wurden Bildhauer, aber auch Übersetzer und Schriftsteller aus Österreich, der Slowakei und aus Ungarn. Franz Gyolcs wohnt heute auf dem Kleylehof südlich von Nickelsdorf und weiß zu berichten, daß die eifrigen österreichischen Grenzpolizisten dereinst bei Nacht und Nebel zwei seiner Statuen verhaften wollten...

2 Im Vertrag von Trianon wurde am 4. Juni 1920 die neue Grenzlinie zwischen Österreich und Ungarn beschlossen. Der Großteil des ehemaligen Westungarns kam zu Österreich, über den Verbleib der Hauptstadt Sopron wurde in einer gesonderten Volksabstimmung zwischen dem 14. und 16. Dezember 1921 entschieden. 65,1 % der abgegeben Stimmen votierten für Ungarn. Über »Betrug« und »Fälschung« berichteten die österreichischen Zeitungen, die interalliierte Kommission konnte keine gravierenden Mängel bei der Auszählung der Stimmen feststellen und anerkannte das Abstimmungsergebnis am 24. 12. 1921.

3 Die Gysev hat zwei Namen: Györ-Sopron-Ebenfurti-Vasut (GYSEV)

sowie Raab-Ödenburg-Ebenfurter Eisenbahn (ROeEE). Seit neuestem heißt sie zumindest in Österreich kurz und prägnant »Raaberbahn«. Sie verbindet zwei Länder: Österreich und Ungarn. Und sie überdauerte solch Aufsehen erregende Ereignisse wie den ersten Weltkrieg, den zweiten Weltkrieg und den realen Sozialismus.

Wer hätte das gedacht im Jahre 1871. Damals erhielt ein Bankenkonsortium von seiner Majestät Kaiser Franz Joseph I. / Kiraly Ferencz Josef I. die Konzession zum Bau der Bahnlinie.

Bis dann 1919 mehrere Bezirke im Einzugsbereich der Bahn für Österreich votierten, die Hauptstadt Sopron aber bei Ungarn blieb. Die neue Grenze zwischen Österreich und Ungarn riß die Privatbahn in zwei Teile. In einem Staatsvertrag wurde 1923 die neue rechtliche Struktur geschaffen: Es wird getrennt gerechnet und gewirtschaftet. Der österreichische Teil erhält eine neue Betriebsleitung in Wulksprodersdorf. Der ungarische Teil behält die Betriebsleitung in Sopron, die gemeinsame Zentrale bleibt in der Hauptstadt Budapest.

Diese Zwillingsstruktur bewährte sich vor allem in jenen Zeiten, als die zwei Hälften Europas durch einen Eisernen Vorhang getrennt waren und Ost-West Handelskontakte nur durch Schlupflöcher möglich waren. Ein Großteil des Ost-West-Handels wurde über das Schlupfloch »Raaberbahn« abgewickelt, die beiden Schwestern wickelten dann selber ab und gründeten eine Spedition, die »raabersped«. Vor allem für Lieferungen in die Sowjetunion galt die »raabersped« als Spezialist mit dem erforderlichen know-how.

Die ÖBB-Speditionsholding hält einen Anteil an der Raaberbahn, den sie aber an den Baukonzern Strabag verkaufen wird. Vorbehaltlich der Zustimmung der EU-Wettbewerbsbehörde wurde vom Baukonzern des Hans Peter Haselsteiner am 25. Mai 2009 ein Vorvertrag unterzeichnet. Strabag-Sprecher Christian Ebner begründet den Einstieg in die Raaberbahn mit strategischen Gründen. Der Baukonzern verfügt bereits über eine Eisenbahnkonzession und wird ab 2011 seine Garnituren auf der Westbahn einsetzen, um den ÖBB die letzten Kunden abzulocken.

An der Mur

Im April des Jahres 2009 starte ich die Tour im steirischen Bad Radkersburg. Kein Rückfall in den Winter wie letztes Jahr beim Frühlingsstart im Böhmerwald, als ich mich in den warmen Anorak hüllte und mit den Bergschuhen bis zum Oberschenkel im Tiefschnee versank. Hier im Südosten des Landes in der zweiten Aprilwoche: Blühende Obstbäume, treibende Weinstöcke, an den Wegrändern noch die Veilchen, auf den Wiesen die Buschwindröschen, Traubenhyazinthen und das Fünffingerkraut, und in den Gärten der Einfamilienhäuser kreisen die zumeist männlichen Häuslbesitzer zum ersten Mal in diesem Jahr hurtig und lautstark mit dem Rasenmäher.

Ich fahre mit dem Zug von Spielfeld nach Bad Radkersburg. Die Trasse schlängelt sich bedächtig durch die Hinterhöfe und kuschelig über die Wiesen, als würde sie zu ihnen gehören, als würde die Trasse integrierter Bestandteil sein der Hinterhöfe und der Wiesen. Andererseits fehlt ihr wiederum das Selbstbewußtsein, als eigene Trasse aufzutreten und sich großspurig zu behaupten: Hier bin ich, die Eisenbahn, ich ziehe meine Spur schnurgerade durch die Landschaft, und was mir dabei im Weg steht, das muß mir weichen, das muß abgetragen, demoliert oder zerkaterpillert werden.

Endstation im Bahnhof Bad Radkersburg. Am späteren Nachmittag werde ich auf diesen Bahnhof zurückkommen, und das im wahrsten Sinn des Wortes. Im Moment fällt mir nur auf, daß die alten Bahnhöfe längs der Strecke am Aussterben sind. Die Gebäude sind leer, abgesperrt, dem Verfall preisgegeben. Neben oder am Bahnsteig steht ein Hütterl mit Sitzgelegenheit und dem imposanten touch-screen. Im Hütterl eine Tafel: Diese Haltestelle wird von der Gemeinde XY betreut. Die ÖBB will also ihre Bahnhöfe vernichten. Ich vergleich das mit einem Bankinstitut, das seine Filialen abstößt oder sie durch Automatenselbstbedienungsanlagen ersetzt. Und wenn ich etwas total Kompliziertes möchte – etwa 100 Euro auf mein eigenes Konto einzahlen, welch Katastrophe – dann muß ich der Bank gleich vier Euro Strafe zahlen für das Vergehen, eine solche Zumutung zu verlangen. Und jetzt schließ ich den Vergleich mit den absterbenden Bahnhöfen der ÖBB: Was soll dort ich tun, wenn es mir total pressiert – welche Ungeheuerlichkeit – und ich ein Klosett benutzen muß? Strafe zahlen für die Verunreinigung.

Aber zurück zum Bahnhof in Bad Radkersburg. Ich wandere saloppe zehn Minuten, bis ich die schöne Altstadt erreiche. Die Altstadt ist mit ihren vieleckigen Befestigungsanlagen größtenteils noch erhalten, man kann nachvollziehen, daß die südliche Rampe der Befestigung bis zur alten Murbrücke vorstieß. Auf der anderen Murseite dominiert Zgornja Radgona mit dem Burgberg samt der Burg. Ich schlendere über die Langgasse zum Hauptplatz, auf dem geräumigen Hauptplatz setze ich mich in ein Straßencafe und bestelle eine Melange. Nach dem ersten Schluck blicke ich zur Mariensäule. Früher war vor der Mariensäule passenderweise das sowjetische Befreiungsdenkmal aufgestellt, auf einem breiten Sockel stand ein schmaler Sockel und auf dem schmalen Sockel drei Rotarmisten. Enthüllt wurde es am 12. August 1945. Aber das war eine Sünde, das paßte nicht hierher, mitten auf dem Hauptplatz und vor der Mariensäule: Ein sowjetisches Befreiungsdenkmal. Also verhandelte der damalige Bürgermeister mit den Sowjets und erreichte immerhin eine Übersiedlung. Diese erfolgte 1958, und seither stehen die drei Rotarmisten sinnigerweise vor dem Finanzamt.

Und der berühmte Hitlersatz, wie steht es da mit der Sünde, paßt der auf den Hauptplatz von Bad Radkersburg? Gestärkt von der Melange schultere ich den Rucksack und spaziere zurück zum Rathaus. Freilich, das alte Rathaus mit dem gotischen Kern und der Biedermeierfassade hat sicher schon viel erlebt. Und in eine Steinplatte graviert, weil dann hält es ewig: »Mit lautrem Sinn und herzhaft klarer Tat / Getreu dem mahnenden Vermächtniswort / des Führers der uns ward / »Seid Deutsch – bleibt einig!«. Ich schreib es noch einmal, falls es mir keiner glaubt, ich mußte es auch zweimal lesen, weil ich beim ersten Mal »des Führers der uns warnt« gelesen habe. Also Wiederholung: Des Führers der uns ward: seid Deutsch bleibt einig.

So schlechtes Deutsch schrieb eigentlich nur der deutschnationale Ottokar Kernstock, vielleicht stammt der lautre Sinn von dem kriegsgeilen Priesterdichter, aber es steht kein Autorenname darunter. Die Platte muß weg, schon allein wegen der schlechten deutschen Sprache, denn wer weiß, welche Einflüsse solch ein miserables Deutsch auf die um sprachliche Ausdrücke ringenden jugendlichen Landsleute auszuüben vermag.

Aber was ich noch nicht weiß: ich verweile in einer Grenzlandgemeinde, und bald werde ich noch draufkommen, daß in Grenzlandgemeinden alles anders ist.

Vom Rathaus schlendere ich weiter durch die von schönen Häusern flankierte Langgasse, bis ich das Russendenkmal vor dem an kakanische Zeiten erinnernden Finanzamt erblicke. Drei Rotarmisten, der mittlere schwenkt im Stehen die Fahne, die ihm zur Seite Knieenden schwenken die puška, das Gewehr. Ich grüße sie auf russisch, sie erzählen mir, daß sie dereinst auf dem Hauptplatz standen, ich winke ab und erwähne, daß statt ihnen auf dem Hauptplatz ein Hitlerzitat überlebt hat, sie schweigen verdattert und ich kann in Ruhe die Inschrift auf dem Sockel lesen: »Ewiger Ruhm den Helden für die Befreiung der sowjetischen Heimat und der Völker Europas von der faschistischen Sklaverei«. Von wegen Deutschenhaß: Mit keinem Wort wird deutsch erwähnt, etwa »befreit aus dem deutschen Joch« oder ähnliches; hingegen werden völlig korrekt die Völker Europas von der faschistisches Sklaverei befreit, und somit wird inkludiert, daß auch das deutsche Volk von der faschistischen Sklaverei befreit wurde.[1]

Ich sage noch den drei Russen, genauer den Sowjetsoldaten, die ja auch Mongolen oder Ukrainer sein könnten, daß sie froh sein sollen über die Neupositionierung, weil von hier, vom Finanzamt, haben sie es näher zur Therme von Bad Radkersburg als vom Hauptplatz. Von der Neupositionierung ihrer sowjetischen Heimat sag ich ihnen nichts, die Debatte wäre mir zu kompliziert gewesen, und am Ende hätten die drei noch miteinander zu streiten begonnen. Schnell packe ich meinen Rucksack um die Schultern und wandere weiter zur Murbrücke.

Die Brücken. Immer wieder die Brücken. Und die Bahnhöfe. Und die Friedhöfe. In Gmünd die Brücke über die Lainsitz, in Hardegg über die Thaya, und hier in Bad Radkersburg über die Mur, die auf Slowenisch Mura heißt. Meiner Erinnerung nach kam der Fußgänger früher von der Langgasse nach einem Doppelschwenk zu Fuß direkt auf die Brücke. Heute muß er einen Umweg riskieren, um auf die Brücke zu gelangen, es ist sozusagen nicht in den Planungen vorgesehen, daß man zu Fuß über die Brücke geht: Sie ist direkt an die um Bad Radkersburg führende Schnellstraße angeschlossen.

Halt, ich bleib stehen, weil ich habe noch eine zweite Erinnerung. Am 21. August 1968, vielleicht auch ein oder zwei Tage später, auf das genaue Datum kann ich mich nicht mehr besinnen, stand ich mit meinem Vater vor der Brücke. Mein Vater war den ganzen Tag ziemlich depremiert, weil die Truppen der Sowjets in die Tschechoslowakei einmarschiert waren. Kurioserweise war mein Vater fast auf den Tag genau zwanzig Jahre vorher, im August 1948, aus der Tschechoslowakei vor den Kommunisten nach Wien geflüchtet. Aus irgendwelchen Gründen befürchtete er, daß die Sowjets, wenn sie schon in Mikulov und in Znaim ständen, vor der österreichischen Grenze keinen Halt machen würden und auch bald in

Wien...Jedenfalls blickte mein Vater stumm über die Brücke nach Jugoslawien, ob vor Angst oder vor Sehnsucht, weil die Titoisten hatten ja mit der Sowjetunion gebrochen, und möglicherweise befürchtete er, im Jahre 1968 zum zweiten Male nach 1948 eine Flucht, genau zwanzig Jahre nach der ersten Flucht....Es gab Schwarz-Weiß-Fotos, die Vater und mich an der Brückenkante vor dem Zollhaus zeigten, ich trug dabei eine grausliche kurze Stoffhose, für die mich damals geniert hatte. Ich kann mich noch genau an die Fotos erinnern, Mutter drückte immer auf den Auslöser und knipste, das waren damals ihre Worte, sie knipste mit dem Knipser. Mein Vater knipste niemals, doch nach seinem Tod waren diese Fotos auf einmal verschwunden, und ich kann nicht einmal ausschließen, daß ich es war, der die Fotos aus dem Jahr 1968 zusammen mit vielen anderen Fotos schlicht und einfach wegschmissen hatte.

Also ich gehe über die Brücke. Sie fällt, nein sie fällt nicht ins Wasser, im Gegenteil. Sie fällt aus der mythologischen Bedeutung, sie entzieht sich der historischen Belastung, sie ist eine leichte und stinknormale Brücke, wie viele andere Brücken über den Wienfluss oder sagen wir über den Mauerbach, sie hat auch kein markantes und signifikantes Aussehen. Ein Kreuz mit dem Gekreuzigten in der Brückenmitte. Das Kreuz verschwand auf seltsame Weise in der Nazizeit, wurde nach dem Krieg in der Scheune eines Bauern zufällig oder auch nicht zufällig gefunden und dann wieder auf seinem angestammten Standort montiert. Ein Tuch ist auf das Geländer der Brücke gespannt mit der Aufschrift: Združeni v raznolikosti.

Ich stehe neben dem Kreuz und blicke etwas gelangweilt ins Wasser. Am rechten und am linken Ufer schimmern in verschiedenen Grüntönen die wuchtigen Wipfel der Laubbäume. Dazwischen rinnt die Mur. Nein, sie rinnt nicht, die Oberfläche ist nicht ruhig, sie wälzt sich deutlich sichtbar unter der Brücke durch und das unruhige Wasser weist auf unterschiedliche

Strömungen hin. Außer mir kein Fußgänger, vereinzelt fahren österreichische Autos hinüber, oft Firmenbusse mit Hacklern, die möglicherweise drüben die Mittagspause absolvieren. Und diese Brücke soll Geschichte geschrieben haben?

Freilich nicht diese Brücke, die gibt's ja erst seit 1969, sondern die alte Holzbrücke aus der Monarchie. Damals gab's noch eine Steiermark, die sich bis zur Save ausdehnte, also ein ganz schönes Stückl weiter in den Süden reichte, und damals gab's die Stadt Radkerburg, die sich hinüber über die Mur erstreckte und dort die Vorstadt Obergries bildete, zudem gab's drüben noch Oberradkersburg. Nach dem verlorenen Krieg wurde am 1. Dezember 1918 der SHS-Staat proklamiert, nicht geklärt waren aber die Grenzen zwischen dem SHS-Staat und Österreich bzw. dem damaligen Deutschösterreich. Die neue Grenze soll der alten Sprachgrenze, sprich der ethnischen Grenze folgen, aber nirgendswo auf der Welt gibt es ethnisch reine Räume, weil die Menschen in ihrem freien Willen sich nie an so etwas Blödes wie Grenzen halten, sondern glücklicherweise dazu neigen, sich auf entsetzliche Art miteinander zu vermischen. Eine Ungarin liebt einen Slowenen, sie bringt eine Tochter auf die Welt, die sich nach 20 Jahren in einen Österreicher verliebt, deren Sohn nach 25 Jahren eine tschechische Köchin kennenlernt, undsoweiterundsofort. Reinsortig sind nur die Weine, und beim Umtrunk wird man einhellig feststellen, daß nicht einmal die Weine reinsortig sind.

Auf jeden Fall wird es nach dem Ersten Krieg zwei steirische Länder geben, die deutsche Steiermark nördlich der Mur und die slowenische Štajerska südlich der Mur. Da besetzten im Dezember 1918 südslawische Verbände unter dem legendären General Rudolf Majster[2] auch Orte nördlich der Mur, Radkersburg etwa und Mureck: Und wieder ging's um eine Bahnlinie, die Südslawen wollten die Bahnverbindung von Ljutomer, dem damaligen Luttenburg, über Radkersburg nach Maribor – und damit den Zugang nach Prekmurje – für

Slowenien sichern. Weiters besetzten sie auch ein paar Dörfer in der Gegend von Leutschach und zwei kleine Weiler am Soboth – in all diesen Dörfern lebten mehrheitlich Slowenen.

Doch lebten im neuen Slowenien auch Deutsche, etwa in Maribor, oder im Apaško polje, das die Deutschen als Abstaller Feld bezeichneten, aber dazu später.

Zurück zu Radkersburg. In der Phase der Besetzung erfolgten Übergriffe, Diebstähle, Plünderungen, die von General Majster nicht bestraft wurden. Sogar das Denkmal des Kaisers Joseph II., das auf dem Hauptplatz neben der Mariensäule stand, vielleicht sogar an der Stelle, wo nach dem Zweiten Krieg das sowjetische Denkmal errichtet wurde, also der Kaiser Joseph II. wurde demoliert und in die Mur geschmissen. Bei der deutschen Bevölkerung staute sich der in der Monarchie gesammelte Unmut über die minderen Slowenen zu einem rigiden Haß auf das slawische Gesindel. In Radkersburg suchte man nach verschiedenen Strategien, um die lästigen SHS-Truppen loszuwerden. Doch weder über Gebietstausche noch über verschiedene Varianten von Volksbefragungen konnte man sich einigen. Zudem gab es von Graz keine militärische Hilfe, da große Teile der Steiermark von Getreidelieferungen aus Slowenien abhängig waren.

Im Friedensvertrag von St. Germain wurde schlussendlich die Mur als natürlich Grenze zwischen Österreich und dem SHS-Staat bestimmt. Erst am 16. Juli 1920 erfolgte die Ratifizierung des Vertrages von St. Germain. Zwei Tage darauf räumten die südslawischen Verbände die besetzten Gebiete, Radkersburg war wieder »frei«. Allerdings war Radkersburg eine Grenzstadt geworden, hatte einen Teil des wirtschaftlichen Hinterlandes verloren – und einen Teil seines Gemeindegebietes, die Vorstadt Obergries auf der anderen Seite der Mur mit 34 Häusern und 309 Einwohnern.

In der Zwischenkriegszeit wurde am 9. Februar 1930 durch Bundeskanzler Schober eine neue Murbrücke eröffnet, die alte

Holzbrücke aus der Monarchie war durch einen Eisstoß zerstört worden. Über diese Murbrücke marschierten am 6. April 1941 die Truppen der Deutschen Wehrmacht nach Jugoslawien ein, sie »überfielen« das Königreich, ohne ihm vorher den Krieg erklärt zu haben –welch semantische Falle der Sprache: einen Krieg zu erklären.

Am Ende des Zweiten Weltkrieges – am 15. April 1945 – befreiten die sowjetischen Truppen die Stadt an der Mur von der faschistischen Diktatur. Die deutschen Truppen zogen sich auf die südliche Murseite nach Zgornja Radgona zurück und richteten ihre Artilleriestellungen auf die Stadt. Und die deutschen Truppen zerstörten die Brücke über die Mur, und die deutschen Truppen zerstörten die angrenzenden Häuser an der Mur, und die deutschen Truppen schossen praktisch die gesamte Stadt in Schutt und Asche. Vier Häuser blieben unbeschädigt von insgesamt 321. Und so erhielt der alte Nazispruch seine neue Bedeutung: Seid deutsch, bleibt einig, bis in den Tod.

Nach dem Ende des Zweiten Weltkrieges gab es überhaupt keine Verbindung mehr zwischen Radkersburg und dem ehemaligen Radkersburg auf der anderen Seite der Mur. Erst am 6. September 1952 wurde eine Behelfsbrücke errichtet, und als ich mit meinem Vater im Jahr 1968 die Stadt besuchte, muß es wohl diese Behelfsbrücke gewesen sein, die wir gesichtet hatten. Denn erst am 12. Oktober 1969 eröffneten Franz Jonas und Josip Broz-Tito die neue Brücke, und der recht gut deutsch sprechende Tito schlug dem österreichischen Präsidenten vor, die neue Verbindung »Franz-Josefs-Brücke« zu nennen. »Franz-Josef?« so der überraschte Franz Jonas. »Ja, Franz nach ihnen, und Josef nach mir«, so der jugoslawische Marschall.

Abb 25: Gedenktafel auf der »Franz-Josefs-Brücke«

Und über diese Brücke ziehe ich jetzt auf die slowenische Seite hinüber, unbekümmert der Altlasten, die wie Minenfelder an den beiden Ufern der Mur liegen. Ein großes Zollhaus, das wie ein Relikt aus überkommener Zeit liegengeblieben ist, groß und gespenstig durch die Leere, rätselhaft durch die Funktionslosigkeit. Am Zollhaus vorbei in den Obergries, der früher zu Radkersburg gehört hatte. Wenig Raum blieb für die Entwicklung, nur die murseitige kleine Niederung, eben Obergries, sonst dominierte der Burgberg mit der Burg. Ich setze den Weg fort auf der Ausfallsstraße, rechts die Gostilna Biser, dann die Kirche. Links ein paar Wohnhäuser, ein paar Häuser werden zum Verkauf angeboten, und ein Blumengeschäft. Kein Grund zum Anhalten, am Majstrov trg biege ich ab zum Bahnhof.

Kein Wegweiser, kein Straßenname, nichts, also bin ich fürs erste vorgewarnt. Nach zehn Minuten stehe ich beim alten Bahnhofsgebäude. Traurig, wie absterbende Bahnhöfe ausschaun, noch trister als ehemalige Zollhäuser. Der letzte Zug muß schon vor Jahren abgefahren sein. Immerhin, das Gebäude wurde nicht ganz demoliert, ein Blumengeschäft sowie ein Naturladen – auf dem Schild steht tatsächlich »Naturladen« namens »Bajka« haben hier ihre Verkaufsstätten aufgeschlagen und so den Bahnhof vor der kompletten Demolierung gerettet.

Bis 1945 gab's die Strecke hinüber nach Radkersburg, bis 1945, ehe die Nazis mit ihrer Artillerie die Verbindung endgültig zerstörten. Ich gehe auf dem in Richtung Bad Radkersburg führenden Gleis, ich hüpfe über die Schwellen, weil die Schellen so gelegt sind, daß man im normalen Schritt von einer Schwelle nie die nächste erreichen kann. Also ich hüpfe über die Schwellen, bis ich das Ende erreiche, das von einem Pflock mit einem durchgestrichenen weißen Kreis auf einem schwarzen Schild markiert wird. Ich setze mich auf die Schiene, hundert Meter weiter bellt ein Hund, kein Mensch ist in der Nähe, ich bestelle bei der Gostilna zum Niemandwerda ein pivo, schreite über die Nirgendwotrasse, überquere auf der Überhauptnichtmehrwahrbrücke die Mur, nehme ein herzhaftes Schluck vom Nichtmehrdabier und erreiche den Bahnhof in Bad Radkersburg. Wie lange habe ich gebraucht? Zwanzig Minuten, ich schwöre es.[3]

Abb 26: Ende der Eisenbahnstrecke

Bevor ich tatsächlich nach Bad Radkersburg zurückkehre, möchte ich den alten Friedhof von Gornja Radgona besuchen. In meinem eher tschechisch klingenden Slowenisch frage ich eine Passantin nach dem pokopališče, die slowenischen Richtungsadverba verstehe ich ganz gut und ich gehe zurück zur Ausfallsstraße. In einer verglasten Imbißstube bestelle ich einen Kaffee um 60 Cent, dann geht's die Treppen hinauf zum Friedhof. Ich trete durch das Eingangstor, lasse den Blick schweifen, und bin erst einmal überwältigt.

Also: Wie der Wiener Zentralfriedhof. Nur ist der Wiener Zentralfriedhof tausend mal größer. Aber sonst: Wie der Zentralfriedhof. In der Mitte die Friedhofskirche. Und an der Außenmauer die alten Grabstätten. Da der Emil Graf Wurmbrand, k.k. Kämmerer, Major, Comthur des hohen deutschen Ordens. Und daneben, den Jahreszahlen nach des Wurmbrands Mutter: Cajetana Gräfin Wurmbrand, geborene Gräfin Gleispach, Sternkreuz-Ordens-Dame. Und dann, er hat's zu einem eigenem neugotischen Obelisk gebracht, kein Wunder, war er ja dereinst Bürgermeister von Radkersburg: Oswald Maria Edler von Kodolitsch. Schnell noch zur k.k. Vermessungsinspektorenwitwe. Küß die Hand, sag ich leis zum Abschied, und auf Wiederschaun, und leben Sie noch lang. Dann zurück zum Majstrov trg und zur Kirche und zur Gostilna Biser, vorbei am leeren Zollamt, hinüber über die Murbrücke, ich bin wieder in Bad Radkersburg. Ich will aber nicht in die Altstadt, sondern ich biege rechts ab in die Mitterlingstraße und wandere nach Laafeld, oder nach Potrna, wie die Slowenen früher sagten.

In Laafeld, oder in Potrna, wie die Slowenen früher sagten. Eher monophorm die Landschaft, dazu passend die adretten Einfamilienhäuser und die putzigen schmucken Gärten. Ich erkenne kein Zentrum und keinen Rand, also keine übergeordnete Struktur, einmal gehe ich nach links und dann wieder nach rechts, ehe ich beim Pavelhaus halte. Das Pavelhaus hat die

Aufgaben eines slowenischen Kulturzentrums übernommen. Im ersten Stock schaue ich mir die Fotos des Trienstiner Fotografen Lojze Spacal an – ich kenne Lojze Spacal aus den Geschichten seines Landsmannes Boris Pahor, im Erdgeschoß wird mit Text, Bild und Ton das Wirken der Slowenen im »Radkersburger Winkel« dokumentiert.

Abb 27: Grenztafel im Radkersburger Winkel

Kurz zusammengefaßt: Im Radkersdorfer Winkel sprach die Bevölkerung bis zum Ende der Monarchie durchwegs slowenisch, die fünf Gemeinden im Winkel heißen Goritz oder Gorica, Zelting oder Zenkovci, Dedenitz oder Dedonci, Sicheldorf oder Žetinci und eben Laafeld oder Potrna. Durch den Germanisierungsdruck wurde in der Zwischenkriegszeit der Gebrauch des Slowenischen in den Privatbereich zurückgedrängt. Als es keine slowenische Messen und keine slowenische Schulen gab, wurde nach dem 2. Weltkrieg das Slowenische auch zu Hause nicht mehr durchgehend gepflegt. Man wollte nur nicht auffallen, war man in der Schule und am Arbeitsplatz durch den Familiennamen und durch den Dialekt sowieso schon gezeichnet. Nach geschaffter Assimilierung hieß es in den 60- und 70-er Jahren, was wollt ihr denn, es gibt ja gar keine steirischen Slowenen. Dann wurde der Artikel VII-Kulturverein gegründet[4], er kaufte das Pavelhaus, renovierte es und richtete eine Dokumentationsstätte ein – mit Unterstützung des Landes.

Ja, die Alten reden noch slowenisch. Und manche der Jungen interessieren sich dafür. Und im Pavelhaus gibt es einen Slowenisch-Sprachkurs, erzählt die Museumsmitarbeiterin. Ich lese ein Gedicht von Avgust Pavel, der hier im Pavelhaus geboren wurde und als überzeugter Hungaro-Slowene galt. »Zapüsztim vasz«, also ich verlasse euch. »Was ist das für ein Dialekt?« erkundige ich mich. »Der Dialekt von Prekmurje. Und der reicht schon mehr ins Ungarische hinüber.« Andere Gedichte Pavels handeln vom »wie riecht der letzte Schnitt des Heus« und vom »Sohn, wann hast du zum letzten Mal etwas gegessen«. Klingt wie der Theodor Kramer der Hungaro-Slowenen.

Ich verabschiede mich, setze mich ein paar Häuser weiter zum Kollmanitsch und bestelle auf Slowenisch einen Kaffee. Die Kellnerin spricht »Prekmurje«. Ich frage sie nach einen Beispiel. »Müra«, sagt sie, »Müra, so sagen wir zur Mur.«

Auf dem Rückweg nach Bad Radkersburg besuche ich den neuen Friedhof in der Nähe des Bahnhofes. Neben dem Denkmal für die Helden des Freiheitskampfes vom Jahre 1919 fällt mir das Kriegerdenkmal für den ersten Weltkrieg auf – die Namen der hier erwähnten Gefallenen lauten Simon Grbič, Johann Cungač oder Stefan Andric. Weiters halte ich Andacht vor einem Grab, an dem man den schleichenden Assimilierungsdruck schön erkennen kann: Die nach 1900 geborenen Eltern heißen Maric, der 1941 geborene Sohn hingegen heißt Maritsch, Vorname Guntram. Alles klar?

Am nächsten Tag will ich durch die Murauen schlendern. Der Weg von Bad Radkersburg nach Mureck führt aber an der Therme vorbei, und aus ist es mit dem Schlendern. Riesige Parkplätze, viel Verkehr, und Menschen, denen man nach Benehmen und Aussehen nicht zutraut, die mehr oder weniger unberührte Natur zu schätzen. Mir fällt Karl Marx ein, der anlässlich eines Kuraufenthaltes in Karlsbad seiner Tochter schrieb: »Hier ist alles giftig. Sogar die Vögel meiden die Kurzone und ziehen sich in die Wälder zurück«.

Nach der Therme geht die breite Fahrstraße in einen asphaltierten Radweg über, aber immerhin, die Menschen verlieren sich, ab und zu ein paar Radfahrer, und bald bin ich allein, konzentriere mich auf meinem Rhythmus, blicke entspannt auf die Wipfel der Bäume und achte dem vielstimmigen Gesang der Vögel.

In Dietzen führt der Weg an »Maria's Beisl« vorbei. Im Garten sitzen drei Radfahrer beim Bier, alle drei in radlerischer Profiausrüstung, ein schwitzender Wanderer mit aufgekrempelten Hemdsärmeln und Kniestutzen der Waldviertler Marke ERGE setzt sich an deren Nebentisch und spricht in sein Diktaphon: »Die aufgestellte Speisetafel ist zweisprachig, Maria's Dorfbeisl serviert Ihnen, darunter Maria vam priporoča«, und immerhin serviert Maria im Slowenischen grammatikalisch korrekt, und im Deutschen nimmt sie den Genetiv nicht ganz ernst. Trotzdem bestell ich kein Dunajski zrezek v žemlji, sondern schlicht und einfach eine Melange mit einer Flasche Mineralwasser.

Gestärkt trabe ich weiter auf dem Radweg nach Mureck, und wie beim Traben: gleichförmig wird mein Schritt, ich ziehe mich auf den Rhythmus zurück, verschließe den Blick und vernehme das Gezwitscher der Vögel nur mehr als akustische Kulisse. Asphaltierte Radwege sind eben keine Wanderwege, auch wenn ich seit der Pause in Dietzen keinen einzigen Radfahrer auf dem Radweg begegnet bin.

Endlich in Mureck. Ja, es gibt hier noch kleine Läden, ein Uhrengeschäft, ein Reisebüro, einen Waffenverkäufer, auch einen Buschenschanken. Offensichtlich ist Mureck zu klein, um von der sich am Ortsrand ansiedelnden geschlossenen Folge von Super- Bau- und Happymärkten zerstört zu werden. Ich läute bei Michael Breuss, Schuldirektor und Biologe, den ich über meinen langjährigen Studienkollegen Sandor Horvath kennengelernt habe.

Mit seiner Frau Marlies sitzen wir am Abend im Buschenschank Kolleritsch, da nach dem Untergang der Sonne die Temperaturen schnell sinken, lassen wir uns im Hinterzimmer nieder. »Gut, daß ich nicht in Mureck wohne«, spreche ich ins Diktafon, »ich würde nämlich jeden Tag zum Kolleritsch gehen.«

Am nächsten Tag führt mich Michael in seinem Wagen auf die Slovenske gorice, auf die Weinberge südlich der Mur. Von Cmurek – der slowenische Name des Ortes – fahren wir erst über die Murbrücke nach – ja nach was denn. Die Gostilna pri mostu ist geschlossen, das Zollhaus ist leer, ein Wohnhaus mit der Nummer 2 verfällt, ein Ramschladen ist übriggeblieben.

Auf dem Novi vrh deutet Michael nach vorne. »Dort hat der Dieter Dorner ein Weingut. Ich glaub, es hat immer seiner Familie gehört, ist aber nicht bewirtschaftet worden. Der Dieter Dorner hat dann die alten Stöcke ausgerissen, neue gesetzt und sich auf biologischen Weinbau spezialisiert.« Beim Weiterfahren erzählt Michael, daß auch seine Radkersburger Großmutter auf der slowenischen Seite Weingärten besaß. »Bei der Restituierung hätte ich irgendwas zurückbekommen, aber ich wollte das gar nicht. Für meine Großmutter war das alles Heimat und somit emotional besetzt, ich hab aber zu den Weingärten keinen Bezug mehr gehabt.«

Beim Meinlov grad halten wir, ich streiche um das alte Schloß mit der bröckelnden Fassade und der großen Uhr über dem

Eingangstor. Bis 1945 gehörte es einem Julius Meinl, Michael erinnert sich aber nicht mehr an die Ordnungszahl hinter dem Julius. Dann fahren wir zur neuen Fußgängerbrücke, die Oberau und Črnci verbindet und deren Bau von den Gemeinden Halbenrain und Gornja Radgona gefördert wurde.

Michael geht auf den Steg und macht den Laut des Pirols nach. Wir lauschen. Nichts. »Auf Französisch heißt er Loriot!« flüstert er mir zu und imitiert das tütütü. Wieder nichts. »Auf Lateinisch übrigens oriolus!« – Auch auf lateinisch kommt aus den Murauen kein Vogellaut zurück.

Das nächste Mal steigen wir vor der Kirche in Apače aus, dem früheren Abstall. »Bei jedem meiner Besuche ist die Kirche geschlossen!« wundert sich Michael. Wir blicken auf die große mittelalterliche Rosette, machen eine Runde um den Kirchenbau und mustern den Hauptplatz. Ein Blumengeschäft, ein Keramikladen, ein Wirtshaus. Einstöckige Häuser mit grünen Fensterläsen. Allzu viel Dorftreiben ist nicht erkennbar.

Das Apaško polje war bis zum Jahr 1945 mehrheitlich von Deutschen besiedelt und wurde von ihnen Abstaller Feld genannt. In der Monarchie gab's den deutschen Schützenverein, den deutschen Musikverein, den deutschen Pfarrer, den deutschen Lehrer. Nach 1920 gehörte das Apaško polje auf einmal zum SHS-Staat, später zum Königreich Jugoslawien. Und der Gesangverein mußte einen slowenischen Namen annehmen und hieß auf einmal »Slovensko pevsko društvo Apačah«. Und dem deutschen Pfarrer wurde ein slowenischer Kaplan zur Seite gestellt, der hieß übrigens Stanko Lah und der Pfarrer hieß Doktor Potzinger, und zwischen beiden soll es etliche Spannungen gegeben haben. Und ein slowenischer Lehrer wurde eingestellt, doch der Unterricht wurde nach wie vor in deutscher Sprache geführt. Und der »Schwäbisch-deutsche Kulturbund« wurde als Interessensvertretung gegründet, sein Obmann hieß Doktor Rudolf Hötzl.

Dann überfielen am 6. April 1941 die Truppen der Nazis das bislang neutrale Königreich Jugoslawien. Allein in Beograd starben am ersten Tag des Überfalls 3000 Zivilisten durch den Bombenhagel der Deutschen Luftwaffe. Und jetzt geh ich von der durch nichts zu beweisenden Annahme aus, daß viele der Abstaller Deutschen begeisterte Nazis waren. Ihre Bürgermeister, Heimatbundleiter und Kulturbundführer waren nicht nur begeisterte, das ist nachweisbar, sondern hochrangierte Nazis. Nach der Niederlage der Nazis wurden sie von den Militärtribunalen der Föderativen Volksrepublik Jugoslawien zum Tode verurteilt.

Nun, und was passierte mit den vielen Mitläufern, mit den Zivilisten, mit den Alten und Kindern? – Sie wurden aus ihrer Heimat ausgesiedelt, und zwar in zwei Wellen. Zuerst internierten die Behörden des neuen Jugoslawien am 4. Juli 1945 die Bewohner des Apaško polje im Lager Strnišče. Nach den Protesten des Internationalen Roten Kreuzes wurden sie im Oktober 1945 wieder entlassen. Und in der zweiten Welle verfrachteten die jugoslawischen Behörden etwa 2000 Abstaller am 13. Jänner 1946 in Militärlastwagen, in Gornja Radgona wurden sie schließlich in Viehwaggons umgeladen. Nun begann eine kuriose Irrfahrt. Die Waggons fuhren erst nach Wien, wurden von Wien aber wieder zurückgeschickt, da offenbar in der Hauptstadt niemand die Abstaller aufnehmen wollte, die Waggons und ihre Insassen standen etwa 14 Tage bei der ungarisch-jugoslawischen Grenze auf irgendeinem Abstellgleis herum, ehe sie in einem Repatriierungslager in Maribor unterkamen. Bei beiden Aussiedlungswellen starben insgesamt etwa 290 Menschen.

Und nun setze ich meine Runde um den Kirchenbau fort. An der Kirchenmauer sichte ich eine Marmorplatte. Ich lese die Gravur: »Im Gedenken an die Gefallenen und Ermordeten der Kriegs- und Nachkriegsjahre 1941-1946 aus dem Abstaller Feld«.

So ist das mit den Gedenktexten, ich kann meine Skepsis nicht verbergen. Schließlich kann man auch die hingerichteten Nazis unter »Gefallene und Ermordete« subsumieren. Es ist immer schwierig, wenn man nicht klar trennt zwischen Täter und Opfer, und am Schwierigsten ist es, wenn im Laufe der Geschehnisse die Täter später selber zu Opfern werden, und am Allerschwierigsten ist es, wenn die Opfer vergessen, daß sie selbst dereinst Täter waren.

Michael reißt mich heraus aus meiner Gedenkrelativierungsarbeit und führt mich ins Jahr 1419 zurück. »Bis damals floß nämlich die Mur ganz woanders. In Mureck machte sie nämlich tatsächlich ein Eck, die Trasse führte am Rand der Slovenske gorice entlang. Und oberhalb der Mur war fast alles deutsch besiedelt. Dann kam es wahrscheinlich im Jahr 1419 zu einem verhängnisvollen Bergrutsch, und die Mur mußte sich ein neues Bett suchen. So wurde das Abstaller Feld von Mureck und Radkersburg abgetrennt.«

Wir steigen in den Wagen, verlassen Apače und fahren weiter zu den sanften Hügeln südlich von Zgornja Radgona. Die Weißweine sollen hier besonders delikat munden, vom Champagner aus Police gar nicht zu reden, aber wir haben keine Zeit zum degustieren: Michael will zum Slowenisch-Kurs im Pavelhaus in Laafeld. »Leider der einzige Kurs, der weit und breit angeboten wird«, so muß Michael jeden Mittwoch am Abend von Mureck nach Laafeld und wieder zurück fahren.

Ich überleg kurz, am Kurs teilzunehmen, entscheide mich aber, mit dem Zug nach Mureck, slowenisch Cmurek, zu fahren und beim Buschenschank Kolleritsch eine Saure Platte zu verzehren.

Anmerkungen

1 Hätte man in den slawischen Ländern, vor allem in der Sowjetunion, das Wort »Nationalsozialismus« wörtlich übersetzt, dann wäre so etwas wie ein »narodni sozialism« herausgekommen, aber den hatte man ja paradoxerweise bereits im eigenen Land, den Volkssozialimus und die Volksdemokratie. Also mußte eine andere Übersetzung her. Zumeist behalf man sich mit dem Ausdruck »Hitler-Faschismus«, etwa in der Wortfolge: »Kampf gegen den Hitler-Faschismus!«.
Anders der Sprachgebrauch auf den Partisanenfriedhöfen im ehemaligen Jugoslawien. Auf den Grabsteinen ist stets von den »Okkupanten« die Rede, etwa »fiel im Kampf gegen die Okkupanten«. Man hütete sich, die Okkupanten genauer zu definieren und die »Deutschen« auf die Grabsteine zu ritzen. Und bei den prächtigen Memorials – Partisanengedenkstätten – von Bogdan Bogdanovic geht selbst der Sprache die Luft aus. Zum Verständnis der monumentalen Metaphern aus Stein und aus Beton ist das Wort in der Tat ziemlich überflüssig geworden.

2 In jeder größeren Stadt in Nordslowenien ist eine Straße oder ein Platz nach Rudolf Majster – eine andere Schreibweise lautet Maister – benannt: Auf den Denkmälern steht zumeist: Dichter und General. Schließlich sicherte der General den Slowenen die Nordgrenze – eben die Mur, und er eroberte Maribor, deren Stadtrat sich für den Verbleib in Deutschösterreich entschieden hatte. Doch das bäuerliche Umfeld der deutschen Sprachinsel war slowenisch – hätte eine Korridorlösung funktionieren können? Im Alter zog sich der General aufs Land zurück und schrieb tatsächlich Gedichte.

3 Ich habe im Kursbuch des Jahres 1915 nachgeblättert. Demnach benötigte der Zug von Oberradkersburg nach Radkersburg exakt sieben Minuten. Als Entfernung werden drei Kilometer angegeben. Von Radkersburg mußte man noch über eine Stunde nach Spielfeld-Strass reisen.

4 Der Name des Vereins bezieht sich auf den Artikel 7 des Österreichi-

schen Staatsvertrages vom 15. Mai 1955. Dort werden »österreichischen Staatsangehörigen der slowenischen und kroatischen Minderheiten in Kärnten, Burgenland und Steiermark« dieselben Rechte eingeräumt wie allen anderen österreichischen Staatsangehörigen »einschließlich des Rechtes auf ihre eigenen Organisationen, Versammlungen und Presse in ihrer eigenen Sprache«.

Im steirischen Muglland

In Mureck starte ich am nächsten Tag um acht in der Früh. Ein wunderschöner Frühlingsmorgen in den Murauen, wenn ich mich bücke, spüre ich auf den Fingerkuppen den Tau an den Halmen, wenn ich mich recke, greife ich in die Wipfel der Bäume. Beim Gehen höre ich das vielstimmige Zwitschern der Vögel, und wenn ich halte, lausche ich dem Rauschen der Mur. Gottseidank können die Füße ausschreiten auf nicht asphaltierten Wegen, ab und zu überquere ich Seitenarme der Mur, manchmal dringe ich durchs Dickicht zum Murufer vor und starre fünf Minuten ins Wasser.

Nach einer unbesetzten Jausenstation erreiche ich die Anlegestelle der Fähre. Ja, der Fähre! Die Überfahrt geht ganz einfach: ich drücke auf den Knopf einer Klingel, die auf einem Leitungsmast befestigt ist. Der slowenische Fährmann, der mit ein paar Anglern getratscht hat, klettert auf die kleine Fähre, tuckert nach Österreich, läßt mich auf sein Gefährt hüpfen und tuckert nach Slowenien zurück. Ich frage nach dem Weg nach Šentilj. – Hvala lepa, na svidenje. Halt, noch jemandem muß ich auf Wiedersehen sagen: jenem Fluß, an dessen Ufern ich mich die letzten Tage herumgetrieben habe: der Mur. Srečno Mura!

Šentilj heißt auf Deutsch Sankt Ägyd, und ich sitze in der Gostilna Belna, der Kaffee kostet hier 90 Cent. Ich muß an meinen Mathematiklehrer in der Wiener Klosterschule denken. Er hieß Pater Ägyd und bemühte sich, die Vornamen der Schüler mit einem Reim zu verbinden, also etwa Gerdipferdi. Bei meinem Vornamen ist ihm nichts anderes eingefallen als ein liebevolles Peppideppi.

Ich esse noch ein sendvič s pršutom und bemühe mich, die Orientierung zu gewinnen. Gewiß, die Autobahn nach Maribor hat die Form des Tales massiv verändert, aber wir sind früher auf der

Bundesstraße oft nach Jugoslawien gefahren, später hieß das Land Slowenien, in das wir eingereist sind. Und irgendwo auf der rechten Seite hielten wir bei einem Wechselladen, um die Schillinge erst in Dinari, später in Tolari umzutauschen. Aber meine Erinnerung kann nirgendswo anknüpfen, die breite Piste der Autobahn hat tatsächlich die gesamte Landschaft zerstört, und Wechselstuben sind auch schon Relikte der Geschichte geworden.

Ich wandere weiter auf der Slovenska cesta, vorbei am slovenski dum, vorbei bei der Ägyd-Kirche, schicke ein Stoßgebet für Pater Ägyd in den Himmel der Mathematiker, dann biege ich links ab und steige hinauf auf den Plački vrh. Ungewohnt ist auf einmal die Steigung, nach den Mühen der Ebene folgen die Gefahren der Berge, ich stolpere schwerfällig über die Steilstufen. Auf dem kleinen Gipfelplateau ist das Hemd verschwitzt und ich greife zur Wasserflasche. Was gibt's noch auf dem Gipfelplateau, richtig, den razgledni stolp, den Aussichtsturm. Also noch einmal auf die Stufen hinauf, von der Plattform ein letzter Blick zurück in die flache Ebene, die hab ich jetzt hinter mir, und ein erster auf die Berge im Westen, die stehen jetzt vor mir, und tatsächlich: den Horizont schließt ab die schneebedeckte Koralm.

Noch ein Schluck aus der Wasserflasche, und weiter geht die Wanderung auf dem rot markierten Grenzpanoramaweg. Zu spät bemerke ich, daß auf einmal alles anders ist. Es beginnt mit der Zermugelung der Landschaft. Links ein Mugel, rechts ein Mugel, vorne ein Mugel. Was heißt da schon so adrett und verniedlichend Mugel. Besser: Steilmugel. Auf jedem Steilmugel die Weingärten, auf jeder Steinmugelspitze das Weingut. Wobei die Zermugelung keinem bestimmten System folgt, keiner erkennbaren höheren Ordnung genügt. Der Mugel taucht meist genau dort auf, wo eigentlich mein Grenzpanoramaweg hinführen sollte. Also richtet sich mein Weg nicht dorthin, sondern macht einen großen Bogen, und wenn ich nach dem großen Bogen bei der fiktiven Mittelachse angelangt bin, was folgt dann? – der nächste Mugel.

Zu spät erkenne ich, daß der Rhythmus der Landschaft sich vollkommen geändert hat, daß mein die Horizontale gewohnter Blick sich ändern müßte, daß mein Gang viel langsamer werden sollte, kurz, daß ich es verabsäumt habe, mich auf die Landschaft einzugehen.

Auf dem Špičnik trinke ich bei Marija Repolusk einen starken Kaffee. »Warum verkaufen Sie Gösserbier?« erkundige ich mich. »Ach das ist egal, zehn Meter weiter ist die Grenze«, antwortet sie. »Sind Sie schon lange da, Gospa Repolusk?« – »Aber nein, früher war das Gasthaus eine jugoslawische Zollstation.« Bei einem Mineralwasser erzähle ich ihr von meinem Missgeschick. Daß ich irrtümlich einen Mugl komplett umrundet habe, weil ich nach einer Muglumbiegung eine ferne Markierung gesehen hatte, und als ich vor dem Baum mit der Markierung stand, da erkannte ich, daß ich vor zwanzig Minuten an der anderen Seite des Baumes vorbei marschiert war.

Ich schultere wieder meinen Rucksack und gehe einfach grad weiter, und das war der nächste Fehler. Hätte ich doch den slowenischen Grenzpanoramaweg genommen! Auf einmal stehe ich in Österreich. In Österreich gibt es aber keine Markierungen oder Wegweiser, nein, es gibt andauernd fünf sechs sieben grüne Schilder, die auf Weinbauern hinweisen, deren Weingüter zumeist zwei oder drei Kilometer entfernt sind. Das ist das einzige Orientierungssystem, nach dem man sich richten kann, die Zufahrt zu den Weinbauern. Es gibt aber keine Orte, die ich anvisieren könnte, Orte mit Häusern und Läden und einem Wirtshaus und vielleicht einem Postamt, es gibt nur mehr Weinbauern. Also bleibt mir nichts anderes übrig als auf jeder asphaltierten Straße weiterzutraben, die man als Erschließungsachse für die Weinbauern bezeichnen könnte. Nach einer halben Stunde weiß ich auch den Namen der Gemeinde, die ich gerade durcheile – Glanz, ja, Glanz wie der Schimmer, und nach einer Dreiviertelstunde kenne ich den Namen der Straße: Alte Weinstraße.

Allerdings dauert es eine Stunde, bis ich beim alten und auch in früheren Zeiten geöffneten Grenzübergang in Langegg eintreffe. Von einem Ort Langegg weit und breit keine Spur, das Nah&Frisch-Kaufhaus neben der Grenze hat geschlossen, das Zollhaus detto. Das einzige nahe und frisch ist eine Straßentafel. Links geht's nach Ehrenhausen und nach Leibnitz. Und geradeaus geht's nach Slowenien. Aha. Was oder wer ist jetzt Slowenien? Ein bisher unbekanntes und vom dichten Nebel der Geschichte eingehülltes Dorf? Oder ein für seine Produkte bekannter Weinbauer? Muß ich doch glatt einmal ausprobieren, dieses Slowenien...

Aber jetzt nicht. Ich absolviere die Strapazen eines Straßenhatscherers und stoße bis Leutschach vor. Schließlich möchte ich ein Nachtquartier finden, und ich will in einem stinknormalen Gasthaus übernachten, und ich will ein ordentliches Nachtmahl bestellen, und ich habe die Absicht, dazu ein Bier zu trinken. Also auf nach Leutschach. Diesen Ort gibt's es tatsächlich, samt dem Vorort Schlossberg, aber so manche Gasthäuser gibt es nimmer, die konnten der Konkurrenz so mancher Vinothek-Genuss-Wellness-Hotels nicht standhalten und mußten für immer schließen. Andere Gasthäuser in Leutschach haben ausgerechnet heute Ruhetag, und ich quartiere mich im Lang-Gasthof von Walter Tscheppe ein.

Nach der Dusche und dem Schnitzel eine kleine Bierrunde. »Sveti duh war schon eine keltische Kultstätte«, sagt mein Nachbar zur Linken, als ich mein morgiges Ziel erwähne. »Mit Kelten kenn ich mich aus«, erklärt meine Nachbarin vis-a-vis, »da gabs viele Muttergöttinnnen!«, und meine linke Nachbarin, eine liebenswürdige Oststeirerin, blickt zu mir: »Du schaust ja aus wie der Adamo!« Und dann beginnt sie zu singen: »Es geht eine Träne auf Reisen!«

Ausgeruht und mit frischen Kräften geht's am nächsten Tag zum Sveti duh hinauf, zu dem die Deutschen Heiligengeist sagen. In Leutschach besichtige ich noch das Kriegerdenkmal, da fällt mir ein, daß das Leutschacher Eck von 1918 bis 1920 von Truppen des SHS-Staates besetzt war. Eine Ursache für die

Besetzung war die vorwiegend slowenische Besiedlung der kleinen Dörfer südlich von Leutschach, die damals Gradišče – das deutsche Schlossberg – sowie Klanci – mein gestriges Glanz – hießen. Heute erinnert nichts mehr daran. O doch. Auf dem Kriegerdenkmal in Leutschach wird auf einer Steintafel an zwei Männer erinnert, die während der Besetzung 1919 gefallen sind. Und vor dem Grenzübergang in Langegg weist ein ominöses Richtungsschild in ein unbekanntes Slowenien.

Abb 28: Die Vermugelung der Landschaft

Langsam steige ich über die Mugeln, freue mich über das satte Grün der Wiesen nach dem langen Winter, beachte die frischen Triebe der Weinstöcke, greife nach den Ästen der Apfelbäume, um mit der Nase vorsichtig über die weißen Blüten zu streichen. Auf jedem Mugel halte ich, um die herumliegenden Mugel zu betrachten, die Form der weichen und runden Mugel geht mir in Fleisch und Blut über, bis ich dem Gefühl nicht entkommen kann, selbst ein Mugel zu sein. Und jetzt schneit es auf den

Mugel Beppo Beyerl herunter, ja es schneit, die Blüten der Apfelbäume prasseln dicht auf mich nieder, sie verfangen sich in den Haaren und in den Hemdfalten, und ich konstatiere beim Weitergehen, daß ich zwar nicht einem Federvieh, jedoch einem in wunderbare Gerüche getauchten Blütenvieh gleiche.

Nicht selten führt der Weg mitten durch ein Gehöft, und nach zwei Stunden halte ich im Ort Sveti Duh na ostrem vrhu, in der wörtlichen Übersetzung Heiligengeist auf dem spitzen Gipfel. In allen deutschen Landkarten, Wegbeschreibungen, Hinweisen wird die slowenische Bezeichnung falsch geschrieben. Aber es heißt vrhu, glaubt es mir, vrh ist der Gipfel, und der Lokativ lautet na vrhu, wobei das h wie ein ch ausgesprochen wird. Ich weiß, sicher keine Absicht, keine Bösartigkeit, es ist einfach so passiert. Und wenn es in den slowenischen Karten passiert, daß dort auf einmal ein Levčah auftaucht? Oder gar ein Hradec?

Der Heric-Wirt steht mit seinem Wirtshaus zur Gänze auf der slowenischen Seite, deswegen kehren die österreichischen Wanderer gern bei ihm ein, weil's bei ihm um die Hälfte billiger ist als bei einem präsumtiver Wirten namens Heritsch, fünf Meter auf der anderen Seite der Grenze. Ich trinke beim Heric an der Schank meinen obligatorischen Kaffee, während im Gastraum vier hungrige Österreicher auf den Mittagsbraten warten. Aufgewärmt gehe ich ein paar Meter weiter Richtung Kirche und werde vom öffentlichen Bus aus Maribor überholt. Der Bus hält direkt vor dem Stiegenaufgang zur Wallfahrtskirche. Niemand steigt aus, kein Pilger aus Maribor will seine Schuld loswerden, nur der Schofför verläßt gemächlich den Bus und schützt sich beim Heric-Wirten vor der kühlen Bergluft des frischen Frühlings.

Bekannt ist der Ort Sveti duh durch die Wallfahrtskirche gleichen Namens. Sie thront auf einer 903 Meter hohen Kuppe. Sehen kann man sie schon von Leutschach aus, aber erreichen kann man sie nur über eine Vielzahl von Stufen und Treppen, damit der zu ihr Wallende im Schweiße seins Angesichtes erfährt, daß er nur mit Müh und Plag, am Ende gar auf Knien rutschend, sein Ziel erreichen kann.

Der Ort war in der Monarchie slowenisch besiedelt, selbstverständlich war auch der Pfarrer ein Slowene. Damals erregte sich der Gemeinderat zu Schlossberg über den »Windischen Hetzpfarrer« zu Heiligengeist, der aus der Pfarre »eine Festung mache«. Dann erfolgte die Grenzziehung von 1920, die die Gemeinde Sveti duh in einen größeren slowenischen und einen kleinen österreichschen Teil trennte. Vor dem Ersten Krieg wohnten etwa 1300 Menschen im Ort, dann sank die Zahl auf 400. Jetzt kommen die Wallfahrer von beiden Seiten, Sveti duh dürfte zu den Gewinnern der Grenzöffnung gehören.

Ab dem oster vrh, dem spitzen Gipfel, den die Österreicher mit »Osterberg« übersetzen, könnte man auf dem Kamm weiterwandern, bis man zwei weitere Kirchen erreicht, Sankt Lorentzen und Sankt Leonhard. Alle drei Kirchen stehen akkurat auf dem Grenzkamm, die ersten beiden Kirchen auf slowenischer Seite, Sankt Leonhard hingegen auf österreichischer. Die Schar der wallenden Gläubigen vermochte also nicht, die nationalen Grenzen im Glaubensbekenntnis oder im Vaterunser zu entdecken. So war zwischen den drei Kirchen die Staatsgrenze relativ durchlässig. Es gibt sogar einen Vertrag aus dem Jahre 1985 zwischen Österreich und Jugoslawien, der in diesem Bereich es den Wanderern gestattete, die Grenze zu wechseln, bestimmte Ausflugsziele zu erreichen, gemeinsame Andachten zu begehen. Die wallenden Pilger als Vorboten der Grenzöffnung?

Nach Sveti Duh steil hinunter zum Krampl. Ab und zu ein Grenzstein, auf der einen Seite das Oe, auf der anderen Seite das RS. Einmal entdecke ich einen Grenzstein mit dem SFRJ, also »sozialistische föderative Republik Jugoslawien«, und mir fällt ein, wie eine jugoslawische Schülerin reagierte, als sie in Wien die deutsche Bezeichnung für ihr Heimatland lernte: »Wien, das ist ja das Ende von Jugoslawien«. Sind die Grenzsteine bald seltsame Relikte einer obskuren Zeit, die darauf versessen war, sich abzuschotten in Territorien und die Grenzen dazwischen zuzubunkern?

Kurz vor dem Krampl wieder ein Grenzübergang. Ich registriere: Ein Schranken, hoch erhoben. Eine Lampe, Funktionstüchtigkeit nicht geklärt. Eine Fahnenstange ohne Fahne. Eine asphaltierte Straße mit dem Hinweis: 40 km/h Höchstgeschwindigkeit. Eine Zollhütte, geschlossen. Davor ein Bankerl, Hinsetzen erlaubt. Auf österreichischer Seite ein kleiner Fischteich. Auf slowenischer Seite das Schnattern von vier Enten. Ich setze mich langsam auf das leere Bankerl vor der Zollhütte. Die Gänse watscheln mit unförmigem Schritt und lautem Geschnatter über die Grenze und platschen sanft ins Wasser des österreichischen Fischteiches. Ich kann meinen Weg wieder fortsetzen.

Fünfzehn Minuten später wandere ich durch das Gehöft des Oberen Muhri. Im Jahr 1924 wurde er geboren, der langjährige Parteivorsitzende, Franz war sein Name, aber weder beim Oberen Muhri noch beim Unteren Muhri erblickte er das muhrige Licht der Welt, sondern paar Kilometer westwärts, in Steyeregg bei Eibiswald.

Ab Sveti duh führt der Weg tatsächlich auf dem Kamm, mit wunderschönen Blicken auf die Mugeln im Österreichischen und die Mugeln im Slowenischen. Auf der slowenischen Seite blicke ich auf den nächsten Weingarten; der Weinhauer ist damit beschäftigt, die neuen Triebe an die Drähte zu binden. »Dober dan!« grüße ich hinunter. »Dober dan!« grüßt er zurück. »Dann richtet er sich auf und schaut mich an: »Wer ist jetzt ein Österreicher, sie oder ich?!« – Darauf ich, diplomatisch: »Das hängt davon ab, wo der Wein besser ist!« – Darauf er, önologisch: »Das hängt ganz von der Lage ab!«

Kurze Zeit später – ich wähne mich im Österreichischen – führt der Weg mitten durch ein Gehöft. »Guten Tag!« grüße ich die aus einem Stadl tretende Bäuerin. »Griß Goot« hallt es im slawischen Deutsch zurück.

Den nächsten Kaffee erhalte ich im Alpengasthaus Pronintsch. Aus der Schreibweise erkennt man, der Pronintsch steht in Österreich. Und die Bezeichnung Alpengasthaus deutet an, daß ich jene Klimazone verlassen habe, in der die Weinstöcke gedeihen, und mich eher subalpinen Höhen annähere.

Ich betrete die einfache Wohnküche. Ofen, Waschmaschine, Fernseher, ein Tisch für die Gäste, das Jägerwinkel. Ich bestelle Kaffee und Würstel. »Frau Wirtin, bleiben Sie auch über die Nacht heroben?« – »Ja freilich, ich bin immer da, ich bin ja da aufgewachsen!« – »Auch über den Winter?« – »Freilich war ich im ganzen Winter da!« – »Und sind da Gäste gekommen?« – Na, eigentlich Gäste sind überhaupt keine gekommen!« Die Wirtin serviert Riesenwürstel mit Kren und Senf. »Früher waren drüben die Soldaten auf der Streife, und das war jetzt Sache des Chefs, ob sie herüberkommen durften oder nicht. Manchmal sind sie gekommen auf ein Bier oder zwei, manchmal durften sie nicht.«

Als ich das Klosett aufsuche, entdecke ich einen zweiten Raum, ein Gästezimmer mit fünf oder sechs Tischen, das in der kalten Jahreszeit offenbar nicht mehr benutzt wird. Vom Klosett hat man einen herrlichen Blick auf Arnfels und die Schilchermugln mit den steilen Hängen.

Gestärkt geht's weiter über den Remschnigg. Der Remschnigg ist überall. Auf der slowenischen Seite wird er Remšnik geschrieben, auf der österreichischen Remschnigg, aber wo ist das Problem. Remschnigg heissen die Almen, Remšnik heißt die Pfarre in Slowenien, Remschnigg heißt die Almhütte, die jedoch geschlossen ist. Herrliche Ausblicke nach Süden, ins Dorf Kapla, herrliche Ausblicke nach Norden ins Schilcherland. Eigentlich dokumentieren zwei parallel geführte markierte Wege die historische

Grenzkoexistenz der Wanderei, einmal auf der einen Seite der 03er, dann zehn zwanzig Meter dazu parallel auf der anderen Seite ein punktierter Weg. Jetzt ist es völlig egal, wo ich gehe. Zumeist entscheide ich mich für die Sonnenseite und wandere in Slowenien.

Bei der Rast nördlich des slowenischen Ortes Kapla konstatiere ich die Existenz von limenologischen Idyllen, ich entdecke einen locus amoenus direkt auf dem Grenzkamm. Mit dem Rücken lehne ich an einem österreichischen Heuschober und blinzle in die Sonne. Vor mir das Häuschen eines Slowenen mit Panoramablick. Er sieht gen Süden auf Kapla, auf Sveti duh, auf die Pohorje. Vor seinem Haus nach Österreich hin zwei Fahnenstangen und ein zwölfsterniges Europaschild mit der Aufschrift »Slovenija«. Eine Frühlingsbiene summt überrascht um mein Gesicht, ich drehe mich ums Eck des Heustadels und blicke ins Österreichische, da erspähe ich die Schilcherhügel der Weststeiermark. Und ich wende mich nach links, da schaue ich auf den Gekreuzigten. Christus paßt auf, daß hier keine Sünde passiert. Freilich, welche Sünden könnten die Irdischen begehen hier auf dem locus amoenus des Grenzpfades?

Abb 29: Grenze auf dem Remschnigg

166

Eineinhalb Stunden später raste ich bei einem Grenzstein – »Saint Germain 10. September 1919«, sowie den antipodischen Tafeln »Državna meja« sowie »Achtung Staatsgrenze«. Ein kleines Plateau wurde rund um den Grenzstein aufgeschüttet, um einen Tisch sind mehrere Bankerln gruppiert, Blumen sind gepflanzt, der Gekreuzigte bewacht des Wanderers Grenzrast. Bitte, so kann`s auch gehen, und damit es jeder weiß: Gewidmet von der Gemeinde Großradl.

Danach erfolgt der nächste Steilanstieg, weil jetzt kommt die nächste Kirche, nämlich Sankt Pongratzen. Im Schweiße deines Angesichtes sollst du Kirchenberge erklimmen, so oder ähnlich steht's in der Bibel, und ich rackere mich tatsächlich ordentlich ab, bis ich den Kirchenhügel erreiche, und gelehnt an die Kirchenmauer muß ich nach dem Taschentuch greifen, um den Schweiß abzustreifen. Der Kirchenberg ist genau 900 Meter hoch, also 3 Meter niedriger also Sveti duh. Allerdings ist der Platz um die Kirche von Bäumen zugewachsen und gewährt kaum Ausblicke in die Niederungen. Sankt Pongratzen gehört zur Pfarre Remšnik, und fünf Mal im Jahr wird die Heilige Messe gelesen. Wie der Pfarrer und seine Herde hier hinaufkriechen, ich weiß es bei Gott nicht. Keine Straße führt hinauf, nicht einmal ein ausgebautes Wegerl. Vielleicht verleiht der Heilige Geist Flügel, oder ist's Red Bull, aber beim Heiligen Geist war ich ja schon, und Sankt Pongratz waltet keineswegs als Patron der Bergsteiger.

Ich umrunde die geschlossene Kirche. Ein paar Holzbuden sind aufgebaut, auf einem Tisch steht ein geleertes pivo der Marke Union, davor mehrere Bänke, also dürften bei den Gottesdiensten Getränke und Imbisse zum Verkauf angeboten werden. Scheinwerfer sind montiert, die im Falle des Falles die Kirche illuminieren konnten. Und ich erblicke eine Uralttafel: Der Grenzübergang ist gestattet: am 2. Sonntag im Mai, am Pfingstmontag, am 17. Juli, am 1. Sonntag nach dem 17. Juli, am 2. Sonntag im August, am 1. Sonntag im September.

Daß ich nicht vergeß: die Kirche ist geschlossen. Aber der Turm ist offen! Auf den alten Turm kann man hinaufkraxeln! Also lehne ich den Rucksack an einen Baum und kraxle die unzähligen Stufen hinauf, bis ich die Aussichtsplattform erklommen habe. Ja, hier behindern die Wipfel der Bäume nicht mehr die Blicke, die endlich ins Weite greifen können, ich betrachte die schneebedeckte Koralm, dann wandern, bei müden Füßen müssen die Blicke wandern, also die Blicke wandern auf die unzähligen Mugeln des Schilcherlandes, ehe sie bei meinem tief unten liegenden Rucksack haften bleiben.

Ich habe die Karte studiert: Gerade hinunter von Sankt Pongratzen, ganz gerade, und ich bin beim Wutschnig. Stimmt, ich muß zwar mehrmals scharf bremsen, sonst wäre ich am Hintern gelandet, aber nach zehn Minuten bestelle ich beim Wutschnig zwei Brote mit Geselchtem und eine Flasche Mineralwasser. Frau Wutschnig zweigt mir ein paar Fotos aus dem Jahr 1909 – das Gasthaus schaut so ähnlich aus wie heute. »Solang gibt's das Gasthaus schon?« – »Ah was, uns gibt`s schon seit der Maria-Theresia!« – »Und sind Sie immer heroben?« – »Ja freilich sind wir immer heroben, auch im Winter. Ist ja viel sicherer als in der Stadt«.

Ich entscheide mich zum Abstieg nach Eibiswald, wo ich beim Hasewend übernachten möchte. Nach kurzer Zeit bin ich auf etwa 600 Meter Seehöhe gesunken, um mich herum mugeln wieder die Weinberge. Die vielkuppige Landschaft läßt keine Einteilung in Berg und Tal zu, in Hügelketten und sie durchschneidende Täler, sie besteht nur aus Mugeln, die sich ungezwungen und willkürlich in der Gegend verteilen. Der Schilcher feiert hier seine rosaroten Urstände, fürchterlich steil wachsen die Weingärten auf die Kuppen hinauf, klettert man zu Fuß zwischen den Weinstöcken, müßte man ordentlich ins Schwitzen kommen. Auf dem Gipfel der Kuppen – oder auf einem Seitengipfel mit nicht enden wollender Fernsicht – hat der jeweilige Weinbauer seinen Buschenschank geöffnet, in dem er seinen Gästen ab 14 Uhr den Schilcher und die Brettljause anbietet.

Im ersten Buschenschank Glirsch der zweite Eindruck: Der Aroma des Schilchers wuselt intensiv und voller Aroma in die Nase, aber wenn ich nach dem Glase greife und schlucke – der Geschmack bleibt weit hinter dem Geruch zurück. Also ersuche ich um eine Führung durch das Weinbaumuseum – schließlich ist die Führung beim Glirsch auf den Rundwanderwegen vermerkt, die ich in meinem Rucksack verstaut habe. Die Wirtin ist wegen der Mehrarbeit nicht gerade begeistert.

Geschwind hinunter nach Eibiswald, das noch seine dörflichen Dimensionen bewahrt und seinen intakten Ortskern nicht durch die ausufernden Ränder mit den gefräßigen Megastores zerstört hat. Der Hauptplatz, der steil auf eine Anhöhe führt, mit vielen kleinen Geschäften auf beiden Seiten, in einem der Geschäfte habe ich voriges Jahr übrigens mein Wanderhemd gekauft. Der Kirchenplatz rund um die Kirche, mit Fleischhacker, Bäcker und dem Kirchenwirt Hasewend.

Hier verbrachte ich mit Eva schon öfters angenehme Herbstwochen. Der Hasewend kombiniert eine früher am Lande oft vorhandene Troika: Den Fleischerladen, das Wirtshaus, und das Dorfkino. Wobei Frau Hasewend nicht »den Schatz am Silbersee« von Karl May spielt: Voriges Jahr sahen wir »Vier Minuten« mit der schon verstorbenen Monika Bleibtreu, vor zwei Jahren »Parfum« mit Dustin Hoffman.

Heute kaufe ich keine Kinokarte. Ich verzehre das ausgezeichnete Rindfleisch, tratsche mit Herrn Andreas über die Niederlage seiner Fußballer, und verschwinde nach dem dritten Bier im Gästezimmer in ersten Stock.

Weil der Wein so schillert, wenn man den Becher gegen die Sonne hält: von der schillernden Farbe erhielt er den Namen. Also steige ich am nächsten Nachmittag auf den Aichberg zum Buschenschank Garber. Die Sicht überwältigend, Panoramafaktor einsplus, allerdings kriecht die Kühle des Frühlings in die Knochen und ich muß den Gästeraum des Buschenschanks betreten. Man duzt sich. Ich bestelle einen Traubensaft gespritzt. Ein aufgeweckter Lackel in einem seltsam klingenden und beinahe unverständlichen Deutsch, das gerade noch als kärtnerisch durchgehen kann, brüllend: »Damals haben sie uns den Flick gefladert!« – Der Wirt: »Die Menschen werden immer schlechter.« – Der Kärtner: »Aber der Haider war doch schon super! Der hat den Gruselbauer das Fiachten gelehrt!« – Der Wirt: »Woher kummst denn du?« – Von oan Kempingplatz!« – »Ah und der gehert dir? – »Aber na, ich bin dort der Chefkoch!« – »Ah der Chefkoch von an Kempingplatz bist du. Da werd ich jetzt auch an Kempingplatz aufmachen!« – Ich rufe vorsichtig zahlen, um die durchgeistigte Konversation nicht zu stören. Der Haiderfan aus Kärnten ruft herüber: »Und woher kimst denn du?« – »Aus Wien.« – »Aus Wien!? Durt habts aber a Menge Großkopferte daham! Weil der Haider war schon super!«

Ich wandere vom Garber in den Ort zurück, bleibe aber beim Thema. Warum bezeichnet sich dieser nette Ort als »Klöpfermarkt Eibiswald«, warum stolpert man andauernd über Klöpferwanderwege, warum sichtet man überall Klöpferdenkmäler. Hans Klöpfer war ein begeisterter Nazi, er war mitverantwortlich für die Ausbreitung des Nazismus in der Weststeiermark in den Zwanziger- und Dreißigerjahren. Im März 1938 schickte er an Adolf Hitler den »Steirischen Bergbauerngruß«, der sehr wohl eine pädagogische Zusatzfunktion erfüllte: »Schreibm tuat er sie Hitler / und uns so guat gsinnt / wia ma weit in der Welt / net an Liabern wo findt.« Kurz darauf – am 10. April 1938 – wurden Flugblätter verteilt mit einem Aufruf Klöpfers an die Bauern, bei der Abstimmung mit »Ja« zu votieren. Unverständlich bleibt, daß in den Broschüren der Besuch »des einstigen Geburtshauses des beliebten Heimatdichters und Ehrenbürgers von Eibiswald« empfohlen wird. Warum kann man 60 Jahre nach Kriegsende, das der Nazibarde aus seiner Sicht glücklicherweise nicht mehr erlebte, warum kann man 60 Jahre nach Kriegsende die alten Nazis noch immer nicht vom Sockel stoßen? Daß ich Kärnten nicht betrete, war mir schon zu Beginn meiner Tour klar, und am nächsten Tag frühstücke ich beim Hasewend und stehe nach drei Stunden munter und ausgeruht auf dem Radlpaß. Dort konstatiere ich ein Paradoxon der Grenze, eine limenologische Antinomie. Hier sind die Grenzen offen, hier waren auch früher die Grenzen mehr oder weniger offen, aber fast niemand überschreitet die Grenze. Warum: Straßenverbindungen über die Hügelkette gibt es nicht, nach der Achse Spielfeld-Maribor muß der Autofahrer bis auf den Radlpaß ausweichen. Und für den Fußgänger entspricht der Hatscher hinüber und wieder zurück einer Tagesetappe. Schließlich fehlen auf beiden Seiten die größeren Orte, die Ballungsräume. Auf der einen Seite heißen die Orte Eibiswald, Oberhaag und Arnfels. Auf der anderen Radlje, Vuhred und Ožbalt. Und da auf der anderen Seite die Einkaufszentren und die Casinos und die Nachtclubs fehlen, bleiben die Menschen hier zumeist unter sich.

Abb 30: Der letzte Grenzübergang nach Jugoslawien (!)

Erst wandere ich vom Radlpaß in die falsche Richtung, also zurück nach Westen, um nach einer Stunde ein eigenartiges anachronistisches Zeitdokument zu sichten. Mitten im Dickicht ein Pfeil, der in ungangbares Dickicht zeigt. Auf dem etwas verbogenem Pfeil steht deutlich zu lesen: Jugoslavija.

Jetzt aber vom Radlpaß Richtung Westen, bis zur dritten Kirche meiner Grenzwallfahrt, der Kirche Sankt Leonhard, die in der Gemeinde Sankt Lorenz liegt. Und die steht – im Gegensatz zu den anderen von mir besuchten Kirchen – eindeutig auf österreichischem Boden

Und das war so: Im Herbst 1919 tauchten die Mitglieder der alliierten Kommission auf und bestimmten den Verlauf der Grenze, die mitten durch den Ort führen sollte. Die Kirche Sankt Leonhard, der Friedhof und ein Bauernhof, der Meßnerhof, wären an den SHS- Staat gefallen, der Rest des Dorfes an Österreich. Nun schlug die Stunde der Meßnerbäuerin vulgo Maria Praßnik. Sie – so erzählt man – kniete vor dem japanischen Leiter der Kommission, sie wird wohl die Hände gerungen und ein wenig geheult haben. Der Japaner ließ sich trotz der Proteste der serbischen Delegation erweichen und verlegte die Grenzlinie um cirka 600 Meter weiter Richtung Süden. Seither gehören Dorf und Kirche Sankt Leonhard ungeteilt zu Österreich.

Auf eine reziproke Geschichte sollte ich ein wenig später stoßen. Um Kärnten zu meiden, wanderte ich von Sankt Leonhard ins Slowenische nach Radlje und vor dort nach Vuhred. Der Eisenbahner der Station Vuhred war begeistert über mein tschechisiertes Slowenisch, als ich in der slowenischen Höflichkeitsform eine Fahrkarte nach Dravograd bestellte. Von Dravogard mit der von russischen Kriegsgefangenen gebauten Staustufe wandere ich die zehn Kilometer in das kleine Dorf Libeliče. Ein älterer Herr führt mich durch das Bauernmuseum. Da das Slowenische vom Tschechischen doch etwas entfernt ist, verstehe ich nicht alles; jedenfalls dünkt mir, daß sich der Museumsführer als Mesner der Pfarre vorstellte. Im Bauernmuseum sind Szenen aus dem alten Bauernalltag nachgestellt; der Mesner zeigt auf einen Knecht mit Schnurrbart und meint: »Das ist der Hitler!«. Weiters blicke ich auf verschiedenste Geräte des landwirtschaftlichen Lebens, die keiner mehr kennt, Fässer für Sauerkraut, alte Dreschflegel. Vor dem Museum steht ein vorsintflutartiges Modell einer Feuerwehr, einer gasilska pumpa.

Nun folgt ein zweiter Teil des Museums. Nach den Kämpfen um den Grenzverlauf, die nach dem Ende des 1. Weltkriegs einsetzten und zu mehreren lokalen Gemetzeln führten, wurde Libeliče der Plebiszit-Zone A zugerechnet. Am 10. Oktober 1920 erfolgte die Abstimmung, in besagter Zone A votierten 40,96% für das SHS-Königreich, 59,04% für die Republik Österreich[1], Libeliče fiel daher an Österreich. Doch die mit überwiegender Mehrheit slowenischen Einwohner des Dorfes rebellierten gegen diese Entscheidung. Sie wandten sich an den Völkerbund, an die Wiener Zentralregierung, die Belgrader Zentralregierung war sowieso auf ihrer Seite. Und auch hier passierte das Wunder: Im Jahre 1922 entschied eine internationale Kommission in Maribor: Die Gemeinde Libeliče wird von Österreich abgetrennt und an das SHS-Königreich angeschlossen, inkorporiert, so der Originaltext.

Übrig bleibt die für das 20 Jahrhundert gültige Schlußthese. Sollten die Menschen über den entschlossenen Willen verfügen, Grenzen in ihre bisherigen Formen nicht anzuerkennen, so kann ihr Kampf schlussendlich belohnt werden. Dem gegenüber die Kernthese des 21. Jahrhunderts: Staatsgrenzen gibt's nicht mehr, sie sind Punkte auf der Landkarte, oder Trennlinien im Kopf. Die westlichen Betriebe haben das längst erkannt und investieren im »Osten«. Die westlichen Konsumtiger wissen das auch längst und kaufen im »Osten«. Geblieben sind die Trennlinien im Kopf: Die da drüben werden nach wie vor als Gauner und Banditen bezeichnet.

Mit dieser unrühmlichen Erkenntnis gehe ich zurück zur Eisenbahnstation in Dravograd, um weiter nach Maribor zu fahren. Die kürzere Strecke über Kärnten möchte ich vermeiden.

Anmerkungen

1   Die national gesinnten Slowenen votierten natürlich für das Königreich. Es gab aber auch viele vor allem ärmere Slowenen, die sich von der relativ günstigen Sozialgesetzgebung in Österreich mehr erwarteten als von der sozialen Situation in einem von Serbien dominierten Königreich. So stimmten viele Arbeiter für den Verbleib in Österreich.

Gleichzeitig muß man feststellen: Man gewann die Kärntner Slowenen mit falschen Versprechungen. So hat die Kärntner Landesversammlung am 28. September 1920 beschlossen, »daß sie den slowenischen Landsleuten ihre sprachliche und nationale Eigenart jetzt und alle Zeit wahren will...Dieses feierliche Versprechen schützt alle Kärntner Slowenen!« Nach der Abstimmung am 10. Oktober 1920 wurde dieser Beschluss schnell wieder vergessen. Wie allgemein bekannt warten die Slowenen bis heute auf die ihnen gesetzlich zustehenden Ortstafeln, die jeweiligen Landsleute brechen die Verfassung, um die Aufstellung jener Ortstafeln zu verhindern.